MELERI WYN JAMES

Diwrnod Da o Waith

Argraffiad cyntaf: 1999

Clawr: Sion Ilar

Rhif Llyfr Rhyngwladol: 0 86243 506 4

Cyhoeddwyd yng Nghymru
ac argraffwyd ar bapur di-asid a rhannol eilgylch
gan Y Lolfa Cyf., Talybont, Ceredigion SY24 5AP
e-bost ylolfa@ylolfa.com
y we www.ylolfa.com
ffôn (01970) 832 304
ffacs 832 782
isdn 832 813

Cynnwys

Diolchiadau

Hoffwn ddiolch i'r Lolfa am gyhoeddi'r casgliad yma o storïau ac i Sion am y clawr. Diolch hefyd i *Golwg* am ganiatáu i mi gyhoeddi *Diwrnod Da o Waith* a gyhoeddwyd ganddyn nhw. Diolch i'r staff a'm cyd-ddisgyblion ar y cwrs MA yng Ngholeg y Drindod, Caerfyrddin 1997-1998 ac yn arbennig i Manon Rhys am ei chymorth a'i chyngor. Diolch hefyd i Dad ac i Eirian Youngman am eu hanogaeth.

Diwrnod Da o Waith

"TI 'DI COLLI PWYSE," meddai fe.

"Gw'itho fan hyn," meddwn i, yn gweld fy nghyfle i droi'r gyllell. Ro'n i ffaelu helpu gwenu. Do'n i ddim 'di bod yn saith stôn a hanner er pan o'n i'n yr ysgol fach.

"Watsia dy hunan. Fydd dim byd ar ôl," meddai fe. Wrth fy mronnau y tro hwn. Ro'n i'n llungopïo. Trefn y rhaglen ar gyfer 'fory. O'dd e BJ yn eistedd ar ei din yn yfed coffi 'da'r merched. Yr un merched ag a ddylai fod yn llungopïo.

O'dd e yn ei elfen, wrth gwrs. Do'n i heb weld lliw ei din yn y swyddfa ers dros fis ac yntau'n darganfod America. Dim ffydd yn Columbus, mae'n amlwg. O'dd y gwyliau 'di gwneud lles. O'dd y lliw haul yn ei siwtio. Ac yn y crys-T oedd 'di crychu'n ffasiynol, o'dd e'n edrych yn ifancach na deugain oed. O'dd ambell un 'di dwlu. O'dd pob un ffôn yn canu'n ddidrugaredd.

Ro'n i'n chwys drabŵd, dim ond yn meddwl ymbyti 'fory. O'dd digon o amser 'da fe.

"Ble alla' i ga'l pâr fel'na?" meddai a throi ei sylw at fy nheits. "I Siobhan."

Y wraig yw Siobhan. Esguses i nad o'n i'n gallu clywed – rhwng sŵn y llungopïwr a'r ffôn.

"Gewn ni sgwrs nes mla'n," meddai. "Dim byd mowr. Dala lan. Wy'n t'imlo 'mod i 'di bod mas o'r system ers miso'dd."

Ro'n i'n crafu 'mhen yn treial cofio pryd buodd e yn y system o gwbl. "Ma' yp-dêt ar yr e-bost," meddwn i.

"E-bost?" meddai gan lyncu coffi'n swnllyd. "Sa i 'di logo miwn to."

"Wel, ma 'da fi frîff i 'neud am ddeuddeg, trêls i hala lan i Gaerdydd am hanner awr wedi a wy' yn y stiwdio trw'r prynhawn. Wy'n weddol rhydd rhwng un a chwarter wedi," meddwn i wedyn gan obeithio'n bod ni'n troedio'n beryglus i diriogaeth ei awr ginio.

"Ma' isie brêc 'not ti 'te," meddai fe gan wincio.

"Hy! Ma' rhaglen fach o'r enw *Plant mewn Creisis* 'fory – a neb ond Sioned Haf yn helpu," meddwn i wrth fynd, i'w roi yn ei le.

O'dd e'n ôl i'w straeon siesta cyn 'mod i 'di cyrraedd top y staer achos wrth i mi roi fy nhroed ar y stepen gynta' ro'n i'n gallu clywed y tri ohonyn nhw'n chwerthin.

* * *

O'dd cysylltu â Chaerdydd wedi bod yn hunlle', ond ro'n i'n barod â hanner awr i sbario. O'dd Comms wedi profi'r llinell a chynhyrchydd Morus Gwynt 'di hala pum munud yn gweiddi arna' i ar *cans*. Ro'n i'n barod i ddod â Radio'r Cymry at y bobl. Yn anffodus, o'dd y bobl i gyd yn Marks 'n Sparks. O'dd dim pip o'r llond bws ro'n i wedi ei drefnu o'r ysgol Gymraeg leol ac o'dd hi'n edrych yn debyg taw Sioned Haf fyddai fy mhrif westai. Ro'n i'n diolch i'r drefn taw rhaglen radio o'dd hi ac nid rhaglen deledu. O leia' fe fyddai pobl Cymru'n ffaelu gweld bod yna yffach o neb 'ma ond am y rhai oedd yn gwneud y rhaglen. O'dd fy nannedd i'n clecian fel 'sen nhw'n rhedeg ar fatris. Ac o'dd Sioned Haf yr un mor nerfus, mae'n rhaid, achos o'dd hi 'di bod 'nôl a 'mlaen i'r toiledau chwe gwaith.

Deng munud wedi ac ro'n i'n treial penderfynu a ddylwn i ddweud wrth gynhyrchydd Morus Gwynt yng Nghaerdydd am absenoldeb y bws. Penderfynais beidio. Do'n i ddim eisiau iddo fe feddwl 'mod i ffaelu ymdopi. Yn lle hynny, penderfynais wahardd Sioned Haf rhag mynd i'r toiledau. Chwarter wedi, cynhyrchydd Morus Gwynt yn fy ffonio i. Cadarnhau wrth gynhyrchydd Morus Gwynt bod pob dim yn iawn. Hala Sioned Haf i Marks dan orchymyn i hasti'n ôl 'da hanner dwsin o Gymry Cymraeg ffraeth o'dd yn gwneud eu tamaid dros *Blant mewn Creisis*. Ugain munud wedi, ffonio cynhyrchydd Morus Gwynt ac esbonio 'mod i newydd sylweddoli nad oedd pob un o'r gwesteion wedi cyrraedd. Tynnu ei sylw at y ffaith mai'r ymchwilydd oedd wedi eu gwahodd. Cynhyrchydd Morus Gwynt yn awgrymu bod yn well i mi ffeindio pawb ro'n i wedi addo eu ffeindio a hynny cyn hanner awr wedi, neu wynebu'r Uwch-gomisiynydd. Pum munud ar hugain wedi, cadarnhau 'mod i 'di datrys y broblem wrth gynhyrchydd Morus Gwynt. Ei rybuddio petai problem arall yn codi i fod yn barod i chwarae record.

Chwe munud ar hugain wedi, BJ yn ymddangos o rywle. Gofyn sut ro'n i'n ymdopi. Teimlo bod hynny'n ddyletswydd arno, er ei brysurdeb, gan fod hon yn rhaglen mor uchel ei phroffil. Gofyn i mi fynd am jin a thonic nes 'mlaen. Cadarnhau wrth BJ fod pob dim yn iawn ac awgrymu ei fod yn gwahodd ei wraig am jin a thonic gan mai hi oedd wedi cael y gwahoddiad i America. Yn absenoldeb Sioned Haf, ystyried gofyn i BJ fod yn brif westai. Saith munud ar hugain wedi, BJ yn diflannu. Wyth munud ar hugain wedi, deg ar hugain o blant a dau athro yn ymddangos ar y gorwel yn mynnu taw hanner awr wedi dd'wedes i wrthyn nhw. Finnau'n mynnu eu bod nhw wedi camddeall. Deg eiliad ar hugain i fynd, Sioned Haf yn ymddangos 'da'r Parchedig Tyssul Evans a'i wraig a dau gynghorydd lleol. Hanner awr wedi, Morus Gwynt yn glir ar *cans*.

"A draw â ni nawr at Lowri ap Cynan, yn fyw o Gaerfyrddin. Helo Lowri..."

"Helo Morus. Odw wy'n dod yn fyw o Gaerfyrddin ar fore rhewllyd o Dachwedd. Ond ma'r awyrgylch yn dwym iawn achos mae 'da fi lond côl o bobol sy'n hala'r dwarnod yn 'neud pethe da i achos da..."

"Helo Lowri..." O Gaerdydd.

"Helo Morus..." O Gaerfyrddin.

"Odych chi'n 'y nghlywed i, Lowri?"

"Yn glir, Morus, ac yn fyw o Gaerfyrddin..."

"Wel... y... r'yn ni'n ca'l trafferth cysylltu â Chaerfyrddin ar hyn o bryd. Fe drïwn ni ddod 'nôl at Lowri cyn diwedd y rhaglen. Bobol bach, mae'n profi'n bod ni'n fyw! Dyma Dafydd Iwan..."

Pum munud i ddeuddeg, Morus Gwynt yn cwpla gyda 'Gwynfyd' Neil Rosser. Pum munud wedi deuddeg, un o'r plant yn codi weiren hir oddi ar y llawr a gofyn a o'dd hi i fod yn sownd wrth rywbeth. Diolch unwaith eto mai rhaglen radio o'dd hi a bod y genedl heb fy ngweld yn gwneud stumiau pysgodyn aur i mewn i feicroffôn oedd â'i gynffon yn nofio ar bwll o rew.

* * *

"Alli di gymryd y gwylie 'na i Fecsico nawr," meddai fe. "Wy'n gw'bod dy fod ti 'di gohirio ddwyweth."

Dd'wedes i ddim byd. Do'n i ddim yn siŵr y gallwn i siarad heb dorri lawr a do'n i ddim eisiau gwneud hynny o'i flaen. O'dd e'n aros i mi adael ond symudais i ddim o'r gadair. Ro'n i'n gallu gweld y merched trwy'r perspecs yn esgus teipio'n brysur. Ro'n i'n teimlo 'ngwefus yn crynu.

"Ddaw rh'wbeth arall," meddai. "Gyda dy gymwystere di."

Es i heibio i ddesg Sioned Haf ar y ffordd 'nôl. "Llongyfarchiade!" meddwn i gan wenu gydag ymdrech.

"Diolch," meddai hithau'n dawel. "Dwi'n disgwyl, wyddost ti? Petaen nhw 'di cynnig gwaith i mi'n ll'nhau toileda yn Nova Scotia fyddwn i 'di goro derbyn."

"Rho chwe mis arall iddyn nhw a bydd hynny'n rhan o'r disgrifiad swydd."

Daeth BJ heibio ar ei ffordd adre. O'dd hi'n bedwar o'r gloch. " 'Se fe lan i fi fydden i 'di'ch cadw chi'ch dwy," meddai fe.

"Pwy arall ond ti o'dd yn penderfynu pwy o'dd yn mynd?" meddwn i.

Rhoddodd ei ddwylo am fy 'sgwyddau a thylino'r cyhyrau tyn.

"Ti a Siobhan... chi'ch dou 'di cymodi on'd 'ych chi?" meddwn i.

Pan adawodd e o'dd fy mola i'n dost. Wy'n gwybod nad diffyg traul o'dd arna' i. O'dd heddiw'n lladdfa a do'n i heb gael amser i fyta.

Traed Oer

DIWRNOD FEL POB DIWRNOD ARALL oedd hwnnw pan ddysgodd Mandy ei fod e yng Nglanafon. Cyn torri'r newyddion, y peth mwyaf arbennig am y diwrnod oedd fod y bws yn brydlon am unwaith. A chan ei bod hi'n bwrw glaw mân, a hithau'n brasgamu, dim ond wyth munud o hyd oedd ei siwrnai i'r siop yn lle'r deuddeg arferol. Roedd hi'n sefyll y tu ôl i'r ddesg am chwarter i naw, yn barod i wasanaethu. Heb ymbarél, roedd ei pherm wedi lleithio a'r cwrls yn syrthio'n grimp dros ei llygaid. Ond gallai weld digon i sylwi ar y wên fodlon ar wyneb Miss Watkins.

Aeth pedair munud ar ddeg arall heibio cyn i Donna dywyllu drws siop Gibbons Shoes. Doedd hynny ddim yn newydd. Siglad cyflym i wared y dafnau o'i hymbarél wrth y drws ac yna strytian i'r cefn yn benuchel i newid o'i sodlau i'w hesgidiau fflat. Doedden nhw ddim yn rhan o'r iwnifform ond gallai'r un o'r merched ddioddef bod ar eu traed drwy'r dydd mewn stiletos – neb ond Miss Watkins. Fe fyddai Donna'n ailymddangos ymhen llai na munud, heb flewyn o'i le ar ei gwallt na'i dillad. (Câi lifft at y drws yn XR2 ei chariad.)

Doedd gan Mandy ddim cariad felly roedd yn rhaid iddi hi fodloni ar deithio ar y bws. Câi gyfle'r adeg honno i hel meddyliau amdano. Llenwai sawl awr ddiflas â sgyrsiau a chyfarfodydd dychmygol byd ei breuddwydion.

A than y diwrnod hwnnw, roedd hi'n berffaith hapus heb ei gyfarfod yn y cnawd.

"Beth 'nest ti dros y penw'thnos, 'te?" gofynnodd Donna. Y cwestiwn stoc y byddai'n ei ofyn bob bore Llun. Roedd wedi dechrau astudio ei farnish ewinedd glas, yn ddidaro, cyn cael yr ateb stoc. Ni fyddai fawr o gwsmeriaid yn dod cyn hanner awr wedi deg. Roedd digon o amser am glonc.

"Dim byd diddorol iawn," atebodd Mandy, "Stwffo bocs o Milk Tray. Tra'd lan o fla'n y bocs. Edrych ar ffilm. 'Na i gyd."

"O, ie. Pa ffilm?"

"*Pretty Woman*, 'da Richard Gere... A tithe?"

'Dim byd diddorol' wir, meddyliodd Mandy gan roi hanner clust i hanes Donna a'r parti pen blwydd yng Ngwesty'r Angel. Noson ramantus gyda Richard, dyna i gyd! Roedd hi'n noson yn ei gwmni, on'd oedd? Ond roedd e'n rhywbeth na allai hi fyth sôn amdano ar goedd. Fe fyddai gormod o gwestiynau...

"Richard pwy?" fyddai hi wedyn, yn naturiol ddigon.

"Wel, wrth gwrs, 'na beth twp!" fyddai ymateb Mandy, mewn llais a ffugiai syndod. Roedd hi'n ddwl i gymryd yn ganiataol y byddai Donna yn gwybod am bwy roedd hi'n sôn.

"Rhywun wy'n 'i nabod?"

A Mandy yn chwerthin yn nawddoglyd. "So ti'n 'i nabod e. So fe'r teip sy'n cymysgu 'da merched sy'n danso rownd 'u bagie yn Niki's Nitespot. Ond pan weda' i'r enw, fyddi di'n gw'bod yn iawn am bwy wy'n siarad. Ma' fe'n enwog ti'n gweld. Yn fyd-enwog. Yn seren ffilm fyd-enwog."

"Pwy yw e 'te?"

Roedd Donna'n llawn chwilfrydedd, er ei bod yn ceisio cymryd arni nad oedd ganddi lawer o ddiddordeb. Doedd bosib fod gan Mandy gariad. Onid hon oedd y ferch a oedd yn byw a bod mewn 'stafell wely yn nhŷ ei mam-gu ac yn llenwi pob penwythnos gyda'i 'dim byd diddorol iawn'?

"Bore da, ferched!" Roedd esgidiau Miss Watkins yn clecian fel gwn yn tanio i dynnu eu sylw. "Shwt benw'thnos gesoch chi? Hamddenol braf gob'itho. Da iawn. Fyddwch chi'n ffres, felly, ar gyfer w'thnos arall o waith."

Cnodd Mandy ei gwefus rhag dweud, "Odyn, Miss," yn awtomatig, fel petai'n ôl yn yr ysgol. Gwisgai Miss Watkins sodlau du, sanau saith denier, sidanaidd a sgert bensel, fentrus a oedd yn ei gorfodi i siglo o fan i fan yn lle camu. Roedd hi'n llawer rhy rywiol i fod yn athrawes. Ond roedd rhywbeth amdani a yrrai Mandy'n ôl i'r 'stafell ddosbarth yn ysgol fach Glanafon. Gwisgai Miss Watkins ei gwallt melyn mewn cynffon ceffyl a phwysai sbectol ar ei thrwyn, yr un ffunud â Miss Jacobs 'slawer dydd. Diferai o awdurdod a dychmygai Mandy ei gweld yn agor ei cheg a'i chlywed yn dweud, *"Be afraid. Be very, very afraid,"* fel y neges ar boster hysbysebu *The Fly*.

Roedd Mandy wedi gweld y ffilm honno yn sinema fach y dref ac wedi dwlu ar y peiriannau oedd yn gallu cludo pethau o un lle i'r llall. Ond roedd hi'n casáu'r dyn oedd yn troi'n gleren. Roedd hwnnw'n rhy arswydus. Y funud honno, ysai Mandy am beiriant i'w chludo i freichiau diogel Richard yn L.A.

"Donna, gewch chi weini wrth y til. Mandy, wy' moyn i chi roi trefen ar y 'sgidie plant. Mae fel twlc mochyn 'na ar ôl dydd Sadwrn bishi."

"Iawn, Miss Watkins," atebodd Mandy ar goedd. Y tu

mewn roedd hi'n ochneidio. Dyna oedd ei chas waith. Mamau a'u plantos oedd y mwyaf anniben o blith y cwsmeriaid i gyd. Roedden nhw'n mynnu tynnu pob esgid yn y siop i'w pennau, cyn penderfynu ar y pâr cyntaf roedd Mandy wedi ei ddangos iddyn nhw, y rhai roedden nhw wedi crychu eu trwynau arnyn nhw, fel petai rhywun wedi taro cnec. Ond fyddai Mandy byth yn datgelu ei gwir deimladau i'r cwsmeriaid. Roedd arni ormod o ofn Miss Watkins i wneud dim ond ufuddhau i'w dymuniadau, a hynny â gwên. Ac roedd yna fanteision. Câi amser i freuddwydio...

Fyddai Miss Watkins, tybiai Mandy, fyth wedi rhoi sêl ei bendith ar ei pherthynas â Richard.

"A beth am Cindy, ei wraig? Chi 'di meddwl beth yw effeth hyn arni hi?" byddai'n gofyn.

"O, hi... Do'n nhw ddim yn briod go iawn, chi'n gw'bod," byddai Mandy'n egluro. "Stynt oedd y cwbwl. O'dd Cindy moyn ca'l 'i thro'd miwn yn Hollywood a Richard moyn profi 'i fod e'n ddigon o bishyn i fachu siwpyrmodel. Fel 'se isie profi'r peth!"

"Ond beth ymbyti'r hysbyseb 'na yn y Times, Mandy fach. Tudalen gyfan jyst i fynegi'u cariad at ei gilydd yn gyhoeddus. O'dd hwnna 'di costi cinog neu ddwy."

"Celwydde! 'Sen nhw'n briod fydde Cindy wedi newid 'i henw. 'Sdim un fenyw yn y byd fyse'n priodi duw fel Richard ac wedyn ddim yn 'i galw'i hunan yn Mrs Gere."

Roedd Mandy'n twymo i'r testun pan ddaeth cwsmer cyntaf y dydd a'i dal yn segura.

"Odych chi'n fishi, Miss?" gofynnodd honno'n fwriadol nawddoglyd, a hithau'n amlwg nad oedd

Mandy'n gweini ar neb arall.

"Shwt alla' i'ch helpu chi?" Cnodd Mandy ei thafod. Fe'i cysurodd ei hun â'r ffaith mai am hanner diwrnod yn unig yr oedd gofyn iddi helpu'r cwsmeriaid ar lawr y siop.

Yr un oedd y drefn bob dydd. Codi, gwisgo a dal bws i'r gwaith. Hanner diwrnod wrth y til a hanner arall yn trefnu'r esgidiau'n ddeniadol ar y silffoedd ac yn helpu pobl i'w prynu – trwy nôl esgidiau o'r stordy yn y maint a'r lliw cywir. Trin pob cwsmer fel hen ffrind er mwyn plesio Miss Watkins a gwneud ymdrech i beidio â dangos ei bod hi wedi sylwi bod ambell bâr o draed yn drewi. Hwfro'r carped tila cyn gadael y siop ar ddiwedd y dydd i ddal y bws chwarter i chwech. Adref wedyn i dŷ Mam-gu a bwyta'r swper oedd eisoes ar y bwrdd. Fyddai Mam-gu byth yn gadael iddi helpu gyda'r llestri brwnt na'r golch. Treuliai Mandy'r nosweithiau hir yn ei 'stafell gyda'i thegell, ei theledu a chasgliad Mills & Boon Mam-gu. Roedd digon o amser mewn diwrnod i hel meddyliau.

"Wy'n whilo am 'sgidie i'r ferch," meddai'r ddynes solet â'r wyneb fel taran. Pwyntiai at gysgod o ferch â dwy bleth gortynllyd. " 'Na beth yw jobyn y cythrel," ychwanegodd yn dawel. "Ma'n nhw mor blincin ffysi'r oedran 'ma!" Ddywedodd hi ddim beth oedd oedran ei merch.

Gallai Miss Watkins, meddai hi, gymryd un cip ar draed cwsmer a phennu eu maint. Roedd ganddi flynyddoedd o brofiad. Hyd yn oed heb y profiad eang hwn, sylweddolai Mandy fod gan y ferch yma draed anghyffredin o fawr, fel dwy long ar gorff main. Byddai pob esgid, a fyddai'n gweddu'n iawn i'w ffrindiau, yn druenus o fach arni hi. A go brin y byddai Mam yn fodlon tyrchu'n ddwfn i'w phocedi i dalu am y steiliau drud ar silffoedd yr oedolion. Ond hwyrach na fyddai calon Mandy wedi suddo fel y gwnaethai, petai hi'n gwybod ble'r oedd e y funud honno.

Wedi methu plesio'r daran a'i merch, dychwelodd Mandy at ei breuddwydion a dychmygu beth a fyddai'n ei ddweud wrth Donna ynglŷn â nos Sadwrn.

"Jyst ni'n dou yn cwtsho ar y soffa. Potel o Asti Spumante mewn bwced o iâ ar y bwrdd. Do'dd dim pwynt ca'l mwy na dwy botel o bybli. O'dd rhaid i Richard fod 'nôl yn L.A. erbyn amser cino dydd Sul. A ma'r swigod yn whare hafog 'da jetlag, medden nhw." Doedd Mandy erioed wedi hedfan mewn awyren.

Y bore hwnnw, roedd Miss Watkins wedi ei llwytho â'r cyfrifoldeb o greu arddangosfa ddeniadol o'r stoc newydd a gyraeddasai'r siop ddiwedd yr wythnos cynt. Esgidiau â sodlau trwchus fel boncyffion fyddai ffasiwn y tymor – rhai fel y byddai'r frenhines yn eu gwisgo. Gresynodd Mandy wrth sylweddoli bod y steil yn dod mewn dau liw yn unig – brown a du. Byddai hyn yn siŵr o achosi pen tost iddi pan fyddai'r mamau'n heidio i'r siop yr wythnos nesaf yn chwilio am esgidiau ysgol yr un lliw â'r wisg ysgol las tywyll. Ond a'i phen yn llawn o'i hanes hi a Richard, roedd hyd yn oed yr hunllef honno'n llai dychrynllyd.

"Ro'n i wedi cwcan swper. Dim byd ffansi. Dwy stecen o'r bwtshwr – dim y rwtsh 'na o Kwiks. Mafon ffres a hufen. Dwbwl. Ond ges i ddim hufen. Wy'n gw'bod nag yw'n ffigwr i cystal ag un Cindy. Ond ma' Richard yn lico merched â tamed bach o afel – bronne, a bol a braster ar 'y nghlunie.

Ddim fel y modele newydd siwpyrdene 'na."

"Ma' fe'n ddigon hen i fod yn Dad i ti," fyddai ymateb eiddigeddus Donna. "Sa i'n credu y byse dyn o'r oedran 'na'n gallu cadw lan â fi." Byddai'n cribo'i gwallt sgleiniog yn falch.

"Ffordd o feddwl yw oedran," fyddai ateb parod Mandy. "So pob person dros 'i bump ar hugen yn gwisgo cardigan 'da zip lawr y canol a slacs sy'n drewi o biso. So nhw i gyd yn mynd mla'n a mla'n am yr hen ddyddie. Pan o'ch chi'n gallu ca'l noson yn y pictiwrs am ddeg cinog a digon dros ben am bacyn o tships ar y bws ar ffordd 'nôl."

Doedd Richard ei breuddwydion ddim yn hen. Mewn gwirionedd, roedd e'n tynnu at ei hanner cant, ond roedd yr wyneb a welai Mandy yn ddi-grych. Wyneb seliwloid oedd hwnnw â llond pen o wallt.

"Ma' storïe Richard yn wahanol iawn. Straeon am ei ffrindie enwog, De Niro a Pacino, a'r galas a'r premieres a'r seremonïe glamyrys ma'n nhw'n mynd iddyn nhw."

"Pam na wedest ti bod dy ffrind di yn Glanafon?" Cuchiodd Donna gan bipo o'r tu ôl i'r Journal.

Ochneidiodd Mandy'n uchel wrth ei gweld hi'n lolian o hyd wrth y til. Roedd y ferch yna byth a beunydd yn hwyr yn gorffen ei brêc. A Mandy wedyn yn hwyr yn dechrau ei brêc hithau. Roedd Miss Watkins yn mynnu bod un o'r ddwy ar gael bob munud rhwng naw a hanner awr wedi pump, i weini ar gwsmeriaid cwynfanllyd.

"Pa ffrind?" gofynnodd Mandy'n flin.

"Wel, y boi â'r fenyw bert – Richard Gere," gwenodd Donna'n goeglyd.

"Beth 'yt ti'n 'feddwl?" Teimlodd Mandy ei hun yn dechrau gwrido.

"Ma' fe'n ffilmo lan y cwm. Fe a rhyw seren arall. Nawr'te ble weles i hwnna...? O ie, Meg Ryan. Ti'n gw'bod? Honna o'dd yn *Sleepless in Seattle*."

Rhewodd Mandy. Roedd Donna rywsut wedi dar-ganfod ei chyfrinach! A nawr roedd yr ast fach yn bwriadu godro pob diferyn o'r stori.

" 'Shgwl, os nag wyt ti'n 'y nghredu i..." Caeodd Donna ei cheg yn glatsh wrth i gysgod Miss Watkins dywyllu'r papur. " 'Sgusodwch fi," meddai'n foesgar. Ond yna dros ei hysgwydd, ychwanegodd, "Tudalen saith."

Unwaith roedd Donna, a Miss Watkins, wedi troi eu cefnau arni, tyrchodd Mandy i fola'r *Journal*, a'r tudalennau'n crensian yn ei llaw. Doedd dim angen i Donna fod wedi ei blino â rhif y dudalen. Doedd dim methu'r stori. Roedd hi'n dudalen o hyd, llawn lluniau niwlog, anodd eu dirnad heb help y capsiynau oddi tanyn nhw. Roedd Richard Gere mewn un llun, yn ôl y papur. O'i astudio roedd Mandy'n amheus. Richard Gere o bellter a hithau'n tywyllu efallai. Doedd neb yn nabod pob crych ar ei wyneb hardd yn well na hi ac roedd y creadur yma'n debycach i'w Mam-gu.

O dan y lluniau 'arbennig' roedd yna adroddiad 'arbennig'. Wrth ei ddarllen teimlai Mandy ei chalon yn crynu fel aderyn gwyllt yng nghawell ei sgerbwd. Am yr eilwaith teimlodd ei hwyneb yn berwi. Roedd y pantiau o dan ei cheseiliau yn anghyfforddus o laith. Taerai'r *Journal* bod y dyn roedd hi'n ei garu nid yn unig yng Nghymru ond yn ffilmio yn y cwm o bob man. Bu bron i Mandy lewygu yn ei hunfan oherwydd roedd y ffilm yn adrodd hanes perthynas nwyfus rhwng Cymraes ifanc a dyn dierth a ddaeth i'r pentref i chwilio am waith.

Roedd yn rhaid i hyd yn oed Mandy gyfaddef ei bod

21

hi'n annhebygol iawn y byddai Richard yn dod i
Lanafon ei hun. Byddai'n siŵr o aros mewn castell o le
swanc – yng Nghastell Myrddin efallai. Doedd Mandy
erioed wedi bod yno ond gallai ddychmygu sut le
ydoedd. Gallai ddychmygu'r gwelyau pedwar postyn a'r
llenni Laura Ashley, a'r merched yn gweini *hors d'oeuvre*
ac *apéritifs* o fore gwyn tan nos. Mae'n siŵr bod
ganddyn nhw lori fwyd foethus ble gallech archebu
unrhyw beth o fyrgyr cig eidion *i Boeuf Bourguinonne*.

Ond, meddai'r papur, yn rhyfeddol o awdurdodol o
ystyried nad oedd ganddyn nhw lygedyn o dystiolaeth,
siawns na fyddai hyd yn oed arch seren fel Richard Gere
yn achub ar ei gyfle i weld tipyn o Gymru. Rhag ofn ei
fod hefyd yn darllen y *Journal*, rhwng ffilmio golygfeydd,
roedd y golygydd yn ddigon caredig i gynnig map iddo a
dynnai ei sylw at ogoniannau Glanafon. A'r pinacl? Bu
bron i Mandy gael trawiad y tro hwn – roedd gan Lanafon
ddewis anhygoel o esgidiau. Tair siop i gyd!

Dyma benllanw breuddwydion Mandy. Wrth fesur pâr
o draed chwyslyd neu ymbalfalu am esgid lydan, maint
pedwar a hanner yn y stordy llychlyd, roedd wedi
chwarae'r olygfa yn ei dychymyg.

*Richard yn picio i mewn i'r siop ac yn gofyn am help y
ferch ifanc, hardd y tu ôl i'r cownter. Richard yn cael ei
swyno gan y Gymraes gyfeillgar a oedd yn amlwg yn nabod
ei hesgidiau. Richard yn gofyn ei henw ac yn holi a fyddai
Mandy, os nad oedd hi'n rhy brysur, yn hoffi ei gyfarfod am
ginio yng Nghastell Myrddin. Mandy'n cytuno'n hamddenol,
ar ôl edrych yn ei dyddiadur i weld a oedd y dyddiad yn
rhydd. Richard yn gwenu fel giât. Fe fyddai'n danfon car
i'w hebrwng.*

O'r man cychwyn yma, naid fach iawn yn y dychymyg oedd gweld Richard yn ei chasglu o'r siop amser cinio.

Ffrâm drawiadol ei gorff yn ffrâm y drws, a'i ddwylo'r tu cefn iddo yn cuddio dyrnaid anferthol o flodau – rhosys weithiau, ac weithiau degeirianau, ei ffefryn. Fyddai e ddim yn ei hôl yn y limo. Roedd hwnnw'n tynnu gormod o sylw mewn tref oedd mor brin o BMWs fel y gallai Mandy enwi perchennog pob un. A phetai'r trefolion yn dod i wybod bod yna seren yn eu stryd fawr, fe fyddai Richard yn siŵr o gael ei fygu gan haid o ffans yn crefu am lofnodion. Doedd pobl gyffredin ddim yn gwybod sut i drin archseren.

Roedd Richard, serch hynny, wrth ei fodd gyda'r werin, er nad oedd yn prynu esgidiau o'r un siopau. Esgus oedd ffansïo'r brogues, *er mwyn tynnu sgwrs â hi. Roedd Giorgio Armani yn gweddu'n well i Richard na Gibbons. Ond roedd pobl gyffredin yn ysbrydoliaeth barhaus wrth iddo baratoi ar gyfer rhan arbennig. Dyna pam roedd e bob amser yn holi ei pherfedd am hanes y siop ac yn cydymdeimlo â'i mân gwynion. Roedd siarad â rhywun fel hi, meddai, yn help i rywun fel fe. Roedd hi'n rhy hawdd i ddyn o'i safle golli cysylltiad â realiti. Y dyn cyffredin oedd ei fara a'i ddŵr, ei ysbrydoliaeth fawr. Roedd clywed hyn yn gwneud i Mandy wrido'n goch y machlud mewn balchder.*

Dilynodd gamera llygaid ei dychymyg at seremoni'r Oscars.

Ar y llwyfan, roedd Richard yn edrych ddeng mlynedd yn iau na'i hanner cant. Roedd hi gartref, yn oriau mân y bore, yn gwylio'r sbloets ar y teledu symudol yn ei 'stafell. Gwell fyth, roedd hi mewn gŵn ddrudfawr o daffeta sgarlad, yn un o'r gynulleidfa. Ar y llwyfan, anwesai Richard ddelw euraid. Yn goron ar y cyfan, roedd yn diolch iddi hi, ei gariad, am y gynhaliaeth.

Bu gan Mandy gariad unwaith. Roedd hi wedi profi'r cyffro a'r boen o fod 'mewn perthynas'. Efallai, wedi 'styried, mai sboner oedd Edwin Rogers. Yn sicr, doedd gan 'gariad' ddim byd i'w wneud â'u perthynas. Ond yn ystod dyddiau cynnar y pedwar diwrnod ar ddeg hynny, roedd hi'n llawn cynlluniau am giniawau yng ngolau cannwyll, picnics siampên a phenwythnosau i ddau mewn gwesty ger y môr. Fe'i hudwyd gan ramant y berthynas cyn dod i nabod Edwin.

Efallai nad Edwin oedd y bachgen mwyaf golygus yn ei ddosbarth. Roedd ei wallt wedi ei siafio hyd at y croen, heblaw am un cudyn styfnig a ymwthiai'n bigyn uwch ei dalcen. A doedd dim tamaid o gnawd ar ei gorff esgyrnog. Ond roedd un peth deniadol iawn am Edwin. Roedd ar gyrion y giang fwyaf poblogaidd yn ei blwyddyn. Byddai gan gariad Edwin statws.

Roedd Mandy'n gwbl gegrwth y diwrnod y daeth y Trwyn ati wrth iddi gerdded o'r wers Ffrangeg i Gymraeg dwbl. Ffrind Edwin oedd hwnnw, yr un â'r adenoids a'r olion gwair parhaus ar ei ben-ôl.

"Ma' ffrind fi'n ffansïo ti," meddai a'i lais yn llawn dop o faw. Anadlai'n ddwfn trwy ei geg wlyb gan na allai anadlu trwy ei drwyn.

"O!" meddai Mandy'n ddychmygus gan daro gwep oedd yn cyfleu, gobeithio, nad oedd hi'n gweld bai arno.

"Fydd e'n gwrdd â ti ar y gwrt thennis amser cino."

Fe dreuliodd Mandy awr anghysurus, yn gytûn â Miss 'am, ar, at...' Jones am dreigladau echrydus y Trwyn, ac yn ei ddiawlio am beidio â'i hysbysu p'un o'i ffrindiau roedd hi ar fin ei gyfarfod. Am gyfnod, gallai chwarae â'r ffantasi mai David Jones neu Richard Evans oedd ei chariad newydd nes dod wyneb yn wyneb â sgerbwd Edwin Rogers yn osgoi peli tennis yn eu man cyfarfod.

Y Trwyn a ddaeth â'r newydd bod y berthynas fer ar ben. "Ma' Edwin yng ngweud, fe'n fynd fas 'da Sally Jones nawr."

Teimlai Mandy'n grac yn hytrach nag wedi ei brifo. Roedd hi wedi gadael i Edwin roi ei dafod yn ei cheg a'i law lan ei siwmper. Doedd dim byd ond ei chrys rhwng ei law a'i bron. Roedd hi'n ddigon aeddfed i sylweddoli na fyddai'n cadw ei chariad am bum munud oni bai y cytunai â hynny. Ond hyd yn oed ar ôl dioddef embaras yr ymbalfalu annymunol, roedd Edwin am ei thrwcio am ddisgybl dosbarth dau a chanddi raced tennis newydd.

Stori wahanol iawn oedd hanes ei pherthynas hi a Richard. Doedd neb yn stwffio'u dwylo ble nad oedd croeso iddyn nhw, na neb yn anfon gwas bach i daflu dŵr oer cyn i'r gwreichion gydio. Roedd rhyw heb chwys na gwaed, a chariad heb ddagrau na phoen. Perthynas lân oedd hi. A phan oedd hi'n teimlo'n isel, roedd bob amser glust i wrando.

"Ma' ffilmo'n gallu bod yn ddiflas iawn 'fyd cofia," meddai Richard, a hithau'n swnian am brynhawniau digwsmer, syrffedus, pan fyddai siopau uchelradd Walkers a Heels, ar draws y ffordd, o dan eu sang. "Fel unrhyw waith, ma' pethe da a phethe drwg. Ma' lot fowr o dindroi. A ma' rhaid gweithio glaw neu hindda."

Ar brynhawniau gwlyb roedd hi'n falch ei bod hi'n glyd yn y siop yn gwrando ar bitran-patran y dafnau glaw yn erbyn y ffenest.

Os oedd y papur – a Mandy – wedi gwirioni ar Gere, buan iawn y cipiwyd y dref yn gyfan gan y clefyd Richarditis. O siop Dai'r cigydd ar ben y dref i Kwiks yn y gwaelodion, roedd baneri a phosteri yn ei groesawu. Aeth y sôn ar led ei fod ar ei ffordd i Lanafon, ac roedd yna nifer o barchusion a fyddai'n fodlon taeru ar eu marw eu bod nhw wedi ei weld – cynifer, a bod yn onest, nes ei bod hi'n rhyfeddol bod Richard yn cael amser i wneud unrhyw waith o gwbl. Yn wir, roedd pob perchennog siop yn grediniol mai fe oedd y dieithryn golygus ag acen Americanaidd a oedd wedi dotio at y menig lledr/siocled cartref/selsig bacwn a chennin – neu beth bynnag roedden nhw'n ei werthu yn y siop. Byddai Mrs Wells y siop lestri wedi galw'r Triawd Sanctaidd yn dystion ei fod wedi prynu dau ornament Royal Doulton ganddi brynhawn Mawrth diwethaf. Ac roedd Mr Fflac, bric a brac, yr un mor grediniol iddo brynu tri phlât Wedgwood o'i siop yntau.

Pan gyhoeddwyd felly fod pwysigion y Cyngor wedi trefnu i Richard Gere ymweld â Glanafon yr wythnos ganlynol roedd pawb wrth eu bodd. Pan ddaethon nhw i ddeall mai hwnnw fyddai ei ymweliad cyntaf â'r dref, roedd ambell un yn synnu'n fawr. Yn ystod y dyddiau nesaf, fe gipiwyd Glanafon gan y fath gorwynt o gyffro na welwyd ei debyg ers i'r Tywysog Charles basio trwy'r dref ar ei ffordd i Aberystwyth. Roedd Mandy ar ei blwyddyn gyntaf yn yr ysgol ar y pryd. Doedd Glanafon ddim yn denu selebs yn eu miloedd.

O'r funud y clywodd am y cynllun, roedd Donna'n argyhoeddedig bod y Cyngor wedi addo arian i'r actor i sicrhau'r fath *coup*. Fe fydden nhw, a'r dref, yn cael eu had-dalu ganwaith gan y cyhoeddusrwydd rhad y byddai'r fath ymweliad yn ei sicrhau. Doedd Mandy ddim am glywed y ffasiwn beth. Roedd gan Richard fwy o arian yn barod nag y gallai ei wario. Os oedd e'n bwriadu dod i Lanafon, roedd e siŵr o fod yn awyddus i brynu cynnyrch neu ddau o grefftau Cymreig i addurno'r palas yn L.A.

Trefnwyd yr ymweliad fel cynllun militaraidd – heblaw nad oedd yr un manylyn yn gyfrinach. Yn fuan iawn roedd unrhyw un a oedd â'r mymryn lleiaf o ddiddordeb yn gwybod y byddai'r daith yn cychwyn am ddau o'r gloch yn siop greiriau Cegin Mam-gu. Ymlaen, am chwarter wedi dau, ar hyd heol Fawrfach at Oriel yr Afon. Deuai'r ymweliad i'w derfyn am hanner awr wedi dau gydag ymweliad â'r Amgueddfa Arferion Pysgota drws nesaf, yn amsugno hanes un o ddiwydiannau pwysicaf Glanafon, a the mawreddog gyda'r Maer yn y Neuadd Fawr. Y peth pwysig i Mandy oedd y byddai Richard yn cerdded ar hyd y Stryd Fawr a heibio i ffenest siop esgidiau Gibbons. Os oedd dewis rhwng brechdanau samwn neu bice bach ar y maen yn rhoi pen tost i'r cynghorwyr, yr hyn a roddai'r poen meddwl mwyaf i Mandy oedd beth i'w wneud â'i gwallt.

Yn unol â'r cynllun gwreiddiol fe fyddai Richard yn cael parcio'r limo yn union y tu fas i Gegin Mam-gu. Fe fyddai'n ddiogel yno ar y llinell felen ddwbl. Roedd y Maer ei hun eisoes wedi rhybuddio unig warden traffig y dref i beidio â rhoi tocyn ar ffenest car y gwestai arbennig. Ond yn anffodus i'r Maer a'i gynlluniau, roedd yr heol ar gau y diwrnod hwnnw. Rhywbryd yn ystod ei shifft prynhawn Mercher, credodd un o blismyn cydwybodol Glanafon iddo wynto nwy yn Heol Fawrfach. O ganlyniad roedd yno bellach graith hyll ar ei hyd, nes peri iddi edrych fel bol claf yn aros i'r meddyg wnïo'r pwythau ar ôl llawdriniaeth. Erbyn y penwythnos, fe fyddai'r gwaith, mwy na thebyg, ar ben, a'r tâp coch a gwyn streipiog a'r conau traffig wedi diflannu. Ond y diwrnod hwnnw roedd y stryd fawr ar gau hyd yn oed i sêr mawr Hollywood a'u *limousines*.

Roedd Mandy, a'i gwallt bob newydd, a'i hieir bach yr haf, yn llawn edmygedd o Richard a'i benderfyniad i fwrw ymlaen â'r ymweliad. Roedd hi'n bwrw glaw. Ac nid glaw mân chwaith. Nid y math o law oedd hwn sydd bron yn anweledig, sy'n gorchuddio rhywun fel petai â chot o ddwst sgleiniog a hwnnw'n ddwst ysgafn fel aer, ond heb wlychu rhywun go iawn. Glaw oedd hwn a oedd yn gollwng blancedi o ddŵr caled fel glo i wlychu person at ei groen mewn eiliadau. Roedd hi'n arwydd o ymrwymiad Richard at ei ffans nad oedd wedi penderfynu dod 'nôl rywbryd eto pan fyddai'r haul yn gwenu'n braf yn lle yn pwdu y tu ôl i'r cymylau duon.

Wrth gwrs, roedd gan Richard ei gynorthwyydd personol ei hun i ddelio â phroblemau ymarferol bywyd pob dydd, fel cofio'r ymbarél rhag ofn ei bod hi'n dod i'r glaw. Ac anferth o ymbarél oedd e hefyd. Un digon mawr i gysgodi'r amddifynnwr, y cynorthwyydd personol a Richard rhag y glaw. Roedd aberth Richard dros ei ffans felly'n llai nag roedd Mandy'n ei gredu. Ond doedd Mandy ddim yn meddwl yn glir.

Doedd hi ddim yn meddwl yn glir ers iddi ddarllen yn y *Journal* bod Richard yn ffilmio gerllaw ei chartref, ac yn sicr ers iddi glywed ei fod e'n mynd i ddod yn ddigon agos iddi ei gyffwrdd. Doedd hi ddim wedi cael noson o gwsg ddi-dor ers hynny. Roedd ei meddwl yn fwrlwm o steiliau gwallt, lliwiau colur y tymor a thips ar sut i droi iwnifform yn eitem ffasiwn ddeniadol. Ond er iddi ymdrechu gyda'r ddau beth cyntaf, roedd ei hofn o Miss Watkins wedi ei chadw rhag gwneud mwy na golchi a smwddio ei hiwnifform yn daclus, codi ei sgert hyd ei phen-glin a rhoi mwclis am ei gwddf.

Roedd hi ar bigau'r drain drwy'r bore. A'i meddwl ymhell o fod ar ei gwaith, fe'i gorfodwyd fwy nag unwaith i fynd 'nôl i'r stordy ar ôl dod â'r maint anghywir o esgidiau at gwsmeriaid. Amser brêc roedd wedi sarnu te dros y copi diweddaraf o'r *Journal* – Y Rhifyn Mawr Arbennig Richard Gere.

Cael a chael oedd hi pa un o staff y siop oedd wedi cynhyrfu fwyaf. Dyna pam, y prynhawn hwnnw, roedd yna dair menyw â'u trwynau yn erbyn ffenest y siop pan ganodd cloch y drws. Roedden nhw'n disgwyl Richard unrhyw funud. Roedd ffrind Miss Watkins wedi ffonio o'r Oriel i'w hysbysu ei fod ar ei ffordd. Ond yn lle'r actor, pwy ddaeth i mewn i'r siop ond twba o fenyw yn anadlu'n ddwfn gan bwysau ei chorff a'i bagiau siopa gorlawn.

"Sandals? Amser hyn o'r flwyddyn!" meddai wrth bawb ac wrth neb. " 'Wedes i wrth y ferch 'na, 'I beth gythrel wyt ti moyn sandals ym mis Medi?' 'Ond nid "sandals" 'yn nhw', meddai m'lêdi, 'ond "jellies".' Ac ma'r ffrindie i gyd yn 'u gwisgo nhw i ryw ddisco mowr, pwysig ddachre'r tymor. Ac wrth gwrs ma'n rhaid i m'lêdi ga'l pâr 'run peth."

"Chi o'dd yn iawn," meddai Miss Watkins heb droi ei golwg oddi ar y Stryd Fawr. "Ma' stoc yr hydre' yn y siop ers w'thnos. Ma' hyd yn o'd y sandals o'dd ar ôl wedi'r sêl wedi mynd 'nôl i'r pencadlys. Ond ma' digon o fŵts a 'sgidie gaea' ffasiynol. Jyst y peth i ddisco."

Edrychodd Mandy ar y twba'n gwgu ar Miss Watkins

a daeth awydd drosti i'w helpu. Wrth i amser ymweliad Richard nesáu roedd y cyffro cynnar wedi diflannu a rhyw anniddigrwydd anghysurus wedi dod yn ei le. Roedd hi wedi ymdrechu i roi'r ffilm, a'i stori am ddieithryn yn syrthio mewn cariad â Chymraes ifanc, o'i meddwl. Roedd hi'n ormod i obeithio bod cyfle iddyn nhw'u dau. Ond os oedd posibilrwydd o serch, roedd posibilrwydd o siom. Ac roedd mwy na phosibilrwydd y byddai'n edrych arni ac yn edrych i ffwrdd, yn pasio'r siop a hithau yn y ffenest, heb alw i mewn. Yn sydyn, roedd yn fwy nag y gallai ei oddef. Ni allai Mandy fyw yn ei chroen heb fachu'r cyfle i ddianc. Rhag ofn.

"Wy'n credu bod un pâr o 'jellies' yn y stordy. Os 'ych chi moyn, a' i i ddishgwl nawr." Mentrodd anghytuno â Miss Watkins am unwaith.

Tra oedd Richard yn mynd heibio o fewn trwch blewyn i siop esgidiau Gibbons, roedd Mandy ar ei phengliniau yn llwch y stordy. A phan ddychwelodd â bocs o dan ei braich, doedd hi'n poeni'r un daten bod y lleill yn fwrlwm o Richard.

Roedd Miss Watkins yn fodlon taeru ei fod wedi ei ddal yn llygadu pâr o *brogues* brown yn y ffenest, tra oedd Donna yn mynnu, ar ei marw, mai gwenu arni hi a wnaeth Richard. Roedd yn well gan Mandy gredu bod Richard yn edrych amdani hi. Bodlonodd yntau i fynd am ei de ar ôl darbwyllo'i hun fod ganddi hi ddiwrnod i ffwrdd. Doedd dim ots yn y byd ganddi ei bod wedi ei golli'r tro hwn. Roedd hi'n siŵr o'i weld yn nes ymlaen, pan fyddai ar ei phen ei hun yn ei 'stafell. Yno, roedd hi'n saff mewn byd ble roedd miliwnydd golygus yn trin merch sy'n gweithio mewn siop esgidiau fel brenhines.

Ond fel y dywedodd Donna, dim ond Mandy fyddai'n llwyddo i golli'r peth mwyaf cyffrous a fu erioed yng Nglanafon.

Tymor-tastic!

"DA, DA, DA, DEE, da, da, da, dee, da…" Tapiodd Dan Roberts ei fysedd hir, llyfn yn erbyn lledr yr olwyn, a'i ewinedd twt yn clicio pob curiad. Fel petai newydd gofio, edrychodd lan dros y boned yn obeithiol, rhag ofn bod y car o'i flaen wedi symud modfedd. Ond daliai'r car i orwedd trwyn wrth din â'r nesaf, yn un ddolen mewn cadwyn ddur, ddisymud.

"R'ych chi mewn tagfa draffig," meddai llais melfedaidd y car.

"Yffach dân, wy'n gw'bod 'ny! Blwmin lori 'di troi, beta' i di. 'Sdim rhyfedd, ffordd ma'n nhw'n shiffto!" Siaradai yn fwy wrtho'i hun nag wrth y fenyw drawiadol, dduloyw ei gwallt wrth ei ochr. Datododd fotwm ei grys a llacio'i dei.

"Mae'r dagfa yn para am bum milltir," meddai'r car.

"Ma' 'da fi gyfarfod!" bloeddiodd wrth neb yn arbennig. "Wayne Lewis!" gorchmynnodd wrth y mobeil. "Wayne? Wy'n mynd i fod yn hwyr. Ffonia Mann!" Diffoddodd y ffôn a chanu'r corn yn groch.

"Beth ymbyti fi?" meddai Siwsi'n gwpslyd. "Fydd Crow wedi hen fynd."

"Fentre fe ddim!" Yn sydyn, roedd ei lais yn dew fel hufen. Rhoddodd ei law o dan ei gên a'i goglais fel petai'n mwytho cath. "So fe moyn ypseto seren y dyfodol! Ma' boi fel'na'n gw'bod pa ochr o'r bara ma'r jam."

Trodd i ffwrdd rhag ei gwefus barod. Roedd ei geg yn teimlo fel y tu mewn i hen degell, a'r botel Claret rhad, a gafodd yn anrheg Nadolig gan Mr Mann, a gâi'r bai. Estynnodd am y pecyn o fintys cryf.

"Ac ar frig y siart-ie am yr wyth deg saith-fed wyth-nos yn gan-lyn-ol," meddai'r DJ yn stacato, "Y Tymhore Tymor-tastic! Nes mla'n yn y rhaglen shwt ma'r Tymhore'n helpu'r Senedd newydd i werthu'i hunan i bobol ifanc Cymru. Hynny a'r newyddion tinboeth, diweddara' am y Tymhore. Ond yn gynta', ie, chi'n gw'bod yn iawn beth sy' nesa'. Da, da, da, dee, da, da, da, dee, da..."

"Wy'n gw'bod beth wy' moyn, beth wy' moyn, moyn, moyn," meddai Siwsi gyda thalent cantores garaoce gyffredin.

"R'ych chi mewn tagfa draffig. 'Newch chi ddim symud am hanner awr," meddai'r car.

"Yffach dân!" Cnodd Dan y pen oddi ar y pecyn caeëdig. Fe'i trawyd gan y syniad y byddai wedi diffodd y radio, petai hynny wedi bod yn bosib, a rhoi taw ar y Tymhorau.

* * *

Er mai eiliadau yn unig a gymerai'r lifft i esgyn i'r canfed llawr, ni symudai'n ddigon cyflym wrth fodd Dan. Roedd e awr a hanner yn hwyr. Shifflai ei draed, yn ymwybodol o'r llygaid ifanc arno. Wedyn roedd y sŵn yna. Doedd e ddim yn siŵr beth, gwenynen yn sïo efallai. Na, nid hynny chwaith. Roedd rhywun, oedd, roedd rhywun yn hymian, yn hymian cân... Damo, roedd y dôn yn gyfarwydd hefyd. A'i wyneb fel pechod trodd yn siarp at y ferch, ei unig gwmni yn y lifft.

"Ma'n nhw'n gwych! Ti'n gw'bod?" meddai hithau'n piffian chwerthin. Yn pipio mas o dan siaced ei hiwnifform roedd y slogan, 'Tymhorau – yn rheoli'r byd'. "Ma'r gân 'ma, ma' fe'n mynd rownd a rownd yn pen fi fel... fel CD wedi sloto i brên fi. Pŵer i'r bobol ifanc! Ti'n gw'bod?"

"Pwy 'ych chi?" gofynnodd Dan.

"Kylie, tywysoges tymor-tastic y lifft. Ti'n gw'bod? Pŵer i'r bobol ifanc!" a phwniodd yr awyr.

"Wyt ti'n newydd, on'd wyt ti?"

"Newydd a tymor-tastic! Gades i'r ysgol w'thnos d'wetha' a 'drycha, yn barod wy' 'di torri miwn i teli. Zigazagaah! Wel, dim ond gw'itho'r lifft ar hyn o bryd..."

"Aah! Wyt ti moyn gw'itho i'r cyfrynge?"

"Na, wy'n gw'bod beth wy' moyn, beth wy' moyn, moyn, moyn. Wy' moyn bod yn brifweinidog. Bydde fe'n tymor-tastic! Ti'n gw'bod? Bydden i'n rhoi pŵer i'r bobol ifanc a rhoi pawb dros bedwar deg miwn cartrefi hen bobol. Hen bobol, ma'n nhw'n costi milo'dd ti'n gw'bod? Ma'n nhw'n dost trw'r amser."

" 'Sdim isie gofyn pwy fyse yn y Cabinet," meddai Dan yn bigog.

"Na, ti'n gw'bod...? Ti'n nabod y Tymhore?" Roedd Kylie wedi cwpla hymian ac wedi dechrau canu nerth ei hysgyfaint.

"Fi greodd y Tymhore," meddai Dan.

"D... d... dan Roberts!" Disgynnodd i'r llawr wrth ei draed. Nid oedd Dan yn siomedig i weld drws y lifft yn agor. Wrth gamu mas roedd yn ofalus i beidio â damshgel ar Kylie. Fe gafodd gip arni cyn i'r drws gau y tu ôl iddo. Roedd hi'n cicio gelyn anweledig.

Sugnodd Dan yn ffyrnig ar y mintys ond roedd blas cas yn ei geg o hyd.

* * *

" 'Sdim isie gofyn pwy yw'ch ffefryn chi," meddai Wayne gan daro coffi du a phapur newydd rywsut-rywsut ar y ddesg.

Ar y dudalen flaen roedd y Tymhorau'n gwneud 'stumiau pwdlyd ac wrth eu botymau bol noeth y pennawd, 'Tymor newydd i'r Senedd'. Crynai'r coffi fel jeli yn y soser. Bachodd Dan ei facyn a'i roi i Wayne.

"Sori," meddai hwnnw gan wenu a phrysuro i sychu'r dafnau oedd wedi tasgu ar y derw. Sylwodd fod un neu ddau ddiferyn du, fel baw, wedi glanio ar grys gwyn glân Dan. Ni ddywedodd air am hyn.

"Beth?" gofynnodd Dan yn cofio bod Wayne yn disgwyl ymateb.

"Wel, Haf ontefe? Ma' hi'r un spit â Siwsi chi. Wel, ma' Siwsi chi'r un spit â Haf, ta beth," meddai gan bwyntio bys at yr erthygl. "Odi hi 'di clywed 'wrth y cwmni recordie 'na 'to?" Roedd Wayne yn glanhau ei sbectol gron gyda dycnwch morgrugyn. Anadlodd ar y gwydr a'i sychu'n lân yn ei gardigan.

Doedd Dan ddim yn canolbwyntio. "Ffonia Mr Mann!" cyfarthodd. "Gwell ymddiheuro, siŵr o fod."

"Wel, mae'n gynnar 'to. Chi'n gw'bod eich hunan shwt rai yw'r bois records 'ma," meddai Wayne a oedd yn dal i siarad am Siwsi ac yn deialu ar yr un pryd. "Gaea' yw'n ffefryn i. Ma' fe'n lyfli! W, y llyged glas 'na – a'r gwallt 'na, melynwyn fel eira brwnt. 'Na pam ma'n nhw'n 'i alw fe'n Gaea'. Achos bo' 'da fe wallt lliw eira. Ffôn!"

"Mr Mann, syr," meddai Dan. "Ymddiheuriade mowr, syr... Beth...? O, Roberts, syr, Dan Roberts... Wy'n gweld... Sori'ch styrbo chi 'te, syr."

"Gyda llaw," meddai Wayne. "Ffonodd Mr Mann yn ginarach. Ma' fe wedi gohirio'r cyfarfod tan ddeuddeg. O'dd e moyn gweld y Tymhore ar y teli. O'dd rhaglen sbeshal arno, ymbyti'r Tymhore – pwy siort o gariadon ma'n nhw'n whilo."

"Beth yw'r sŵn 'na?" Roedd yr holl fintys wedi dechrau rhoi diffyg traul i Dan.

"Tymor-tastic. Y CD newydd. Ma' Mr Mann wedi gorchymyn 'i bod hi'n ca'l 'i whare yn y cefndir trw'r dydd. I helpu pobol i ymlacio..."

Cyn i Wayne gael cyfle i gwpla'i frawddeg, ffrwydrodd Dan o'i sedd fel ton lanw. Pipiodd dros y partisiwn a oedd yn arwydd o'i safle uchel yng nghwmni TV BobMann. Edrychodd yn wyllt o gwmpas y swyddfa cynllun agored. Roedd y lle'n ferw o brysurdeb, fel arfer, ac eto roedd yna rywbeth anghyffredin amdano'r bore hwnnw. Roedd nifer anarferol o bobl yno, a'r rheini fel petaen nhw'n cael eu denu, fel clêr at faw, at y ffenest fawr a oedd yn llygad i'r clos islaw.

"Beth ma'r holl bobol 'ma'n 'neud 'ma?" gofynnodd i Wayne.

"Y Tymhore, Mr Roberts. Ma'n nhw'n dod 'ma amser cino, i lanshio'u lansh newydd. Pŵer i bobol ifanc yn y Senedd newydd... Mr Roberts, odych chi'n teimlo'n iawn, Mr Roberts?"

Roedd Dan ymhell o fod yn teimlo'n iawn. Roedd yr annifyrrwch yn ei fol yn pwyso ac yn gwasgu'n löyn caled fel muchudd.

* * *

Camodd Dan o'i uned a dod wyneb yn wyneb â Caledfwlch yn brasgamu tuag ato gan chwibanu i gyfeiliant y gerddoriaeth. Bachgen wedi ei fagu yn y dref oedd Caledfwlch ond roedd ganddo gorff solet deunaw stôn mab ffarm. Er yr holl oriau yn y gampfa, roedd wedi mwynhau gormod o brydau parod i gael ei alw'n gyhyrog. Edrychodd Dan yn ddifeddwl ar ei oriawr. Doedd e ddim eisiau bod yn hwyr ac os oedd Caledfwlch wedi codi a gwisgo roedd hi siŵr o fod yn tynnu at hanner dydd.

Nid oedd Caledfwlch yn gweithio i TV BobMann ond roedd y cwmni'n ei oddef fyth ers iddo helpu'r MD. Un diwrnod, roedd hwnnw wedi cael ei ddal mewn brwydr rhwng ei gariad a'i wraig. Cymwynas Cals oedd pwno'r wraig, ar ôl i honno lorio'r cariad a throi ei sylw at yr MD ei hun. Yn ôl y si, roedd y driniaeth ddeintyddol yr oedd ei hangen arni wedyn wedi costio deuddeg mil. Roedd Caledfwlch mor falch o'r si hwnnw fel ei fod wedi helpu i'w ledaenu. Roedd yn fythol barod rhag ofn iddo weld rhywun enwog. Yn y twtfag am ei wasg, cariai gamera, batri sbâr, llyfr lloffion a beiro – un oedd yn gweithio. Roedd ganddo obsesiwn â selebs, ac roedd hi'n amlwg pwy oedd ei ffefrynnau.

"Cyfarchion y tymor!" meddai, yn hytrach na 'helo'. Pwniodd yr awyr o fewn trwch blewyn i glust Dan. Roedd e'n edrych yn fwy llon nag arfer.

"Sawl Tymor sy 'na Cals?" gofynnodd Dan.

"Pump." Awgrymai'r anghredinedd yn llais Caledfwlch ei fod yn ystyried y cwestiwn yn sarhad.

"A beth yw 'u henwe arbennig nhw?"

"Wel, ma' pob un 'di ca'l 'i enwi ar ôl un o'r tymhore," meddai'n amheus iawn. Roedd hi'n araf wawrio arno fod rhywbeth rhyfedd am ei hen ffrind, Dan, y diwrnod hwnnw.

"A sawl tymor sy' 'na?"

"Pedwar."

"Ond ma' 'na bump yn y Tymhorau."

"O's. Gwanwyn, Haf, Hydref, Gaeaf a…"

"A…" meddai Dan yn ddisgwylgar.

"A… Ffrîc."

"Ffrîc?"

"Ie."

"Ffrîc?"

"Ie!

"Nawr meddwl 'nôl, Cals, i pan o't ti yn yr ysgol. O'dd 'na bedwar tymor. Do'dd dim sôn am dymor y ffrîc, o'dd e?"

"O'dd pethe'n wahanol pry'ny. O'dd dim sôn am effeth tŷ gwydr. Dan boi, ma'r ddaear yn twymo a ma' hynny'n achosi eithafion tywydd. Yn ogystal ag eira, gwynt, glaw a haul ma' llifogydd, stormydd, daeargrynfeydd a chorwyntoedd. A ma'n nhw'n dod yn fwy a mwy aml achos y newidiade yn yr hinsawdd."

"Yffach, Cals! Wyt ti 'di llyncu'r Llyfrgell Genedlaethol?"

"Wy' 'di dysgu fe. Fel parot. Mas o *Tymhorau – Y Llyfr*. Yr un swyddogol. Y crwt gwallt gwyn 'na – 'na ti Gaea'; y crwt ifanca, babi'r grŵp – Gwanwyn yw hwnnw; y ferch gochlyd yw Hydref – phwoar! – 'na'n ffefryn i; y ferch Eidalaidd â'r cro'n fel cneuen yw Haf; ac wedyn ma' 'da ti Ffrîc, y ferch groenddu wyllt 'na."

"Ond so'r peth yn 'neud sens."

"Odi ma' fe."

"Cals, dyw e ddim."

"Odi ma' fe!" Roedd Caledfwlch yn dechrau cynhyrfu.

"Yffach dân, Cals! Na'di!" meddai Dan a oedd yn nabod tymer ei ffrind yn ddigon da i roi desg rhyngddyn nhw.

"Pump aelod o grŵp wedi eu henwi ar ôl pump tymor.

'Newn ni esgus am funed bod 'na bump tymor. Tric yw e, 'neud pob un mor wahanol i'w gilydd â phosib er mwyn eu 'neud nhw'n haws eu cofio. Ma' fe mor syml, ma' fe'n rhy syml. Yn sarhad."

Yn union fel corwynt, dringodd Caledfwlch dros ben y ddesg fel petai'n ddim mwy na thwmpath gwadd. Gafaelodd yn Dan gerfydd ei wddf a'i wthio'n galed yn erbyn y wal agosaf. Gyda bysedd Cals yn ei dagu prin y gallai Dan anadlu.

"Ca-als!" Roedd y llais benywaidd fel neithdar i'w glustiau.

"Odi ma' fe!" meddai Cals yn benderfynol a gollwng Dan yn saff ar ei sodlau.

"Pŵer i'r bobol," sibrydodd Dan rhwng ei ddannedd. Unwaith iddo gael ei wynt ato, fodd bynnag, llanwyd ei gorff gan gynddaredd, a chyda Siwsi'n darian wrth ei ochr, roedd yn benderfynol o ddial. "Beth yw'r siwt 'na 'te, Cals?" meddai'n bryfoclyd. "Ti 'di troi'n bengwin?" Roedd siwt Cals yn rhy dynn iddo. Ymwthiai'r blew fel weiren bigog rhwng ymyl ei drowsus a'i sanau.

"Ma' cyfweliad 'da Cals," meddai Siwsi.

"A ble ma'r jobyn 'ma? Gwlad yr Iâ?" Stopiodd Dan yn stond wrth weld Siwsi, ei Siwsi ef, yn mynd at Cals a rhoi llaw gysurlon am ei ysgwydd. "Siwsi! Shwt a'th pethe 'da ti, cariad?" meddai gan geisio cymodi.

"Iawn," meddai Siwsi'n glaear. "Am wn i."

Bellach, safai Siwsi a Cals ysgwydd yn ysgwydd. Newidiodd y gân. Edrychodd y ddau ar ei gilydd a chyda gwên gynllwyngar, fe ddechreuon nhw floeddio, "Wy'n gw'bod beth wy' moyn, beth wy' moyn, moyn, moyn!"

* * *

"Â phob parch, syr, sa i'n credu 'i fod e'n iawn. Wy'n ffaelu dyall pam na allwch chi i gyd weld 'ny. Y Tymhore ar y Sianel. Bob nos Sadwrn am byth. Er mwyn Duw! Yn fyw! Chwe mis 'nôl? Iawn. Ond nawr? Nawr 'u bod nhw wedi camu miwn i'r cylch gwleidyddol? Os 'yn nhw isie dangos 'u lliwie seneddol, allan nhw ddim â bod yn bersonoliaethe teledu 'run pryd. Ma'n nhw'n arwyr i filoedd. Ma' pobol ifanc yn llyncu pob gair sy'n dod o'u cege nhw. Fydde fe fel… fel darllediad gwleidyddol teirawr o hyd!"

Heb yn wybod iddo'i hun, roedd Dan Roberts wedi codi ar ei draed wrth iddo siarad a thraw ei lais wedi codi gyda phob gair. Teimlai'n bwerus, fel brenin. Ond nawr ei fod wedi tewi, roedd tawelwch syfrdanol ei gyd-weithwyr yn cau amdano fel clogyn du ac yn ei fychanu. Roedd y dafnau chwys ar ei dalcen yn goglais wrth iddyn nhw ddiferu, fel dagrau, i lawr ei fochau. Estynnodd am ei facyn a chofio bod Wayne wedi ei ddefnyddio i sychu coffi oddi ar y ddesg. O'i gwmpas, roedd rhyw ddwsin o gyrff yn eu tridegau canol yn lolian ar fyrddau, ar y llawr ac yn marchogaeth cadeiriau. Yn eu jîns a'u *chinos*, roedden nhw'n ceisio edrych yn hamddenol ac yn ifanc eu ffordd mewn ymdrech i brofi bod eu bysedd yn dal i fod ar byls anghenion pobl ifanc. Fydden nhw mor gegog fel arfer, ond y tro hwn syllai pob un yn gegrwth, yn aros i'r person drws nesaf dorri'r distawrwydd. Chwap, teimlai Dan yn wirion ac eisteddodd i lawr yn ddiseremoni a chwympo'n swp yn y gadair fel papur newydd ddoe.

"Wy'n cytuno cant y cant!" Yr unig un i dorri ar y mudandod oedd Robert Mann ei hun. Edrychodd Dan i fyny'n syn. Roedd Mann yn eistedd a'i draed merchetaidd o fach ar ben y ddesg, a'i ddwylo wedi'u plygu mewn pader ar fynydd o fol. "Ond fe fyddai pobol eraill yn dweud y dylen ni edrych ar y ffigyrau," meddai, yr un mor ddisymwth. "Ma'r ffigyrau'n siarad dros 'u hunen. Ma'n nhw'n gweiddi arnon ni! Yn gweiddi!"

"Tri deg miliwn!" meddai llais a allai doddi siocled. " 'Na faint o bobol a wyliodd raglen y Tymhore pan ddarlledwyd hi fis Rhagfyr d'wetha'." Llais Siwsi.

"Os wy'n cofio'n iawn, y Tymhore o'dd ar bob sianel y noson honno." Roedd Dan wedi cynhyrfu gan bresenoldeb annisgwyl ei gariad ac wedi ei gynhyrfu mwy fyth gan y ffaith ei bod hi nawr yn clwydo fel parot ar ymyl cadair Mann. "A chyda phob parch, Siws, sa i'n credu bo' 'da ti hawl i farn yn yr achos 'ma. A gweud y gwir sa i'n hollol siŵr beth 'yt ti'n 'neud 'ma o gwbwl. Drws nesa' ma' Harvey Nicks."

"Ma' pob hawl 'da Siwsi i fod 'ma," meddai Mann. "Fel aelod o'r Tymhore."

Crawciodd Dan yn anghrediniol. "Ma' Siwsi bron â thorri'i bol isie ymuno â'r grŵp Nid y Tymhore. Ond â phob parch, syr, dyw hi ddim yn aelod o'r Tymhore go iawn!"

"Odi, ma' hi! Ma'r ferch o'dd yn whare rhan Haf yn gadel y grŵp i briodi pêl-droediwr. Fydd 'na ddim cyhoeddiad. Ma' Siwsi a hithe fel dwy gneuen. Fydd y newid yn hawdd gan fod Haf yn gwisgo sbectol haul bob awr, trw'r flwyddyn."

"Er mwyn dangos 'i bod hi'n haf," meddai Siwsi, fel petai hynny'n ateb pob cwestiwn.

Trawodd Mann ei phen-ôl yn or-gyfeillgar.

"Llongyfarchiade!" Crychodd Dan ei wefus yn sur. "Ma' 'ny'n fwy o reswm byth pam na ddylse Siwsi fod 'ma. Ma' hi bownd o bleidleisio o blaid y rhaglen. Er 'i lles 'i hunan."

"Cytuno," meddai Mann. "Ond fydde rhai'n dweud bod pleidleisio o blaid, yn unfrydol o blaid, er ein lles ni i gyd. Os bydd pobol yn gwylio'r Sianel bydd 'da ni swyddi."

Safodd Dan ar ei draed. " 'Drychwch, 'sdim byd 'da fi'n erbyn y bobol 'ma. 'Na i gyd wy'n 'weud yw y dylse pobol ga'l dewis. Credwch neu bido, ma' 'na gynulleidfa mas 'na sy ddim isie gweld rhaglen arall am y Tymhore. Pobol sy'n casáu'r Tymhore!"

Yn groyw, clywodd bìn yn cwympo.

"Fydd 'na bopeth yn y sioe – comedi, trasiedi, cerddoriaeth," meddai Mann gan ei anwybyddu. "Fydd y Tymhore'n bopeth i bawb!"

Roedd ambell un wedi dechrau curo dwylo.

"Na fyddan nhw ddim!" meddai Dan yn gadarn. "Fi greodd nhw. Alla' i 'u chwalu nhw!"

* * *

Roedd cerdded i mewn fel cyrraedd parti ble mae pawb ond y chi'n feddw gaib. Ar y cychwyn rydych chi'n teimlo'n annifyr ac yna'n ddiflas ac yn grac. Prin y gallai Dan ei glywed ei hun yn meddwl dros sŵn y berw ac roedd arno angen amser i feddwl. Roedd chwerthin cyffrous a siarad uchel yn llenwi ei glustiau, yn bygwth ei foddi mewn sŵn. Islaw'r siarad, roedd rhywbeth arall hefyd – drymiau, gitâr fas, offerynnau taro, synau ffug y stiwdio gyfrifiadurol, "Da, da, da, dee, da, da, da, dee, da..." Teimlodd boen corfforol, nid yn ei stumog y tro hwn ond yn ei gefn. Fel rhywbeth yn ei daro. Cals.

"Wyt ti newydd golli sioe a hanner, boi. Ro'n nhw'n tymor-tastic! Gesa beth? Ma' 'da fi ffefryn newydd... Haf. Sa i erio'd 'di gweld hi'n dishgwl mor bert." Roedd wyneb

Cals yn binc fel meddwyn ond doedd yna ddim gwynt alcohol ar ei anadl. Ceisiodd gicio'r aer. Troes y gic yn hanner cic. Roedd yn dal i wisgo'r trowsus pengwin ac roedd y defnydd newydd gnoi i mewn i'w afl.

"Gwed ti," atebodd Dan. Am y tro cyntaf sylwodd ar y smotiau coffi ar ei grys.

"Y Tymhore! Drwyn yn nhrwyn â fi! Ro'n i mor agos ro'n i'n gallu gwynto'u hanadl nhw. O'dd e'n gwynto fel mêl. Pŵer i'r bobol ifanc!"

"Ro'n nhw'n tymor-tastic!" meddai rhywun wrth frysio heibio.

"Zigazagaaah!" meddai un arall.

"Wy'n gw'bod beth wy' moyn, beth wy' moyn, moyn, moyn, " meddai Cals.

" 'Na ddigon!" bloeddiodd Dan gan gracio fel plisgyn wy. "Digon!"

Stopiodd pawb. Roedd hi'n dawel ond am y gerddoriaeth yn y cefndir.

"Wy' moyn i bob un ohonoch chi gau'ch cege twp am y Tymhore! Wy' 'di ca'l llond bola! Wy'n falch y'ch bod chi 'di joio'r gig – achos hwnna o'dd gig dd'wetha'r Tymhore!"

Fel un dyn, ro'n nhw wedi ffurfio cylch o'i amgylch. Ambell wyneb cyfarwydd, Cals, Wayne, Siwsi, Crow, Mann a Kylie. Roedden nhw'n symud yn nes, yn closio, yn cael eu tynnu fel at fagned gan yr angen i wybod mwy, i wybod y newyddion diweddaraf hyn am y Tymhorau. Roedden nhw bron yn cwtsho.

"Ma'r Tymhore wedi cwpla! Wna' i'n siŵr o 'ny!" sgrechiodd Dan.

Rhoddodd y dorf un ochenaid fawr o fraw a symud yn agosach. Roedd ei chwant am wybodaeth wedi troi'n rhywbeth arall, rhywbeth dieflig. Roedd y cyrff fel un anifail. Yn y wasgfa, credai Dan iddo glywed rhywun yn sibrwd, "Pŵer i'r bobol ifanc." Roedd llaw yn tynnu ar ei drowsus, bysedd yn cau am ei figwrn, un arall am ei benglin. Roedd y llawr oddi tano'n sigo, roedd e'n cwympo ac yna'n cael ei ddal gan fôr stormus o ddwylo. Ymhlith y storm o wynebau roedd Cals, yn tuchan fel tarw.

"Hei!" meddai'n ddiymadferth. "Beth 'ych chi'n 'neud?! Aw, watsiwch! 'Drychwch, fydd 'na grwpie er'ill, ma' wastad grwpie er'ill. 'Na drefen naturiol pethe..."

"So ni moyn neb arall. Ni moyn y Tymhore." Anelodd Cals ei ddwrn fel saeth o fwa.

"Cals, beth wyt ti'n 'neud, Cals?... Cals!" Gafaelodd yr ofn fel dwrn yn Dan a gwasgu'r anadl o'i gorff.

"Amddiffyn y Tymhore. 'Na 'ngwaith i nawr."

Teimlodd y sioc a'r ergyd yn un, fel petai rhywun wedi arllwys bwced o ddŵr rhewllyd dros ei ben. I ddechrau, roedd ei wyneb mewn cystudd ac yna lledaenodd y boen fel dafnau dyfrllyd dros ei gorff. Pigai ei groen fel pinnau. Blasodd y gwaed yn gynnes ac yn sur ac, wrth i ddegau o ddwylo ei ollwng fel un dyn, syrthiodd yn glec ar y llawr.

* * *

"Nawr'te, bobol," meddai'r llais undonog. "Yr hyn sy 'da ni fan hyn yw achos clasurol o orw'itho – *stress*, os 'ych chi moyn – yn arwain at dor-iechyd llwyr yn feddyliol ac yn gorfforol. O'dd 'na gleisie dros 'i gorff e i gyd pan dda'th e 'ma gynta'. Seicosomatig, wrth gwrs."

Llais doctor efallai, meddyliodd Dan. Yn ferched a dynion, ffurfiai'r chwech hanner cylch o amgylch y gwely. Roedd gan y siaradwr glipfwrdd ac edrychai'n amlach ar hwnnw nag ar y criw ifanc yn ei gwmni. Ond os doctoriaid oedden nhw, ble roedd y cotiau? Roedd y rhain wedi gwisgo'n hamddenol, mewn jîns a chrysau chwys, fel petaen nhw wedi taro mas i 'nôl llaeth. Oedd e'n breuddwydio? Fel mewn breuddwyd roedd yr olygfa'n fyw ac yntau'n ganolbwynt. A doedd ganddo ddim rheolaeth dros yr hyn oedd yn digwydd. Roedd e eisiau siarad ond yn ffaelu.

"Felly, shwt 'yn ni'n mynd i drin yr achos 'ma...? Hym...? Glou, 'sdim trw'r dydd 'da ni, bobol."

"Cyffurie cryf," meddai crwt ifanc. O dan y plorod a'r rhimyn o wallt seimllyd, amcangyfrai Dan nad oedd e'n hŷn na phedair ar ddeg.

"Cywir!"

Trodd unwaith eto at y clipfwrdd. Ond yn lle'r clipfwrdd roedd chwistrell ac iddi'r pigyn hiraf roedd Dan wedi ei weld erioed.

"Fydd hyn yn boenus iawn," meddai'r llais...

* * *

Yn y gwely, meddyliodd am gartref. Ond doedd y lle yma ddim byd tebyg i'w gartref. Roedd y waliau'n ddiaddurn ac yn ddiffenest, y nenfwd yn estyn uwch ei ben yn ddiddiwedd. Rhaid ei fod yn rhywle arall, mewn ysbyty, efallai. Ond doedd yma ddim byd tebyg i ysbyty, chwaith. Fe oedd yr unig glaf. A doedd yna ddim ymwelwyr. Roedd e'n siŵr y byddai ganddo ymwelwyr, petai e mewn ysbyty. Os oedd e'n cofio'n iawn. Roedd pethau braidd yn niwlog. Ac yna roedd y teledu. Doedd gan berson sâl ddim teledu. Roedd angen llonydd arno i wella. Ond roedd yna yffach o deledu mawr yn y 'stafell yma, teledu oedd yn llenwi'r wal i gyd, teledu nad oedd fyth yn tewi.

"Ar frig y siart-iau am y can-fed wyth-nos yn ol-yn-ol. An-hyg-oel!" meddai'r cyflwynydd yn ei lais stacato. "Hon yn arbennig ar gyfer Mr Dan Roberts. Brysiwch wella, Dan, oddi wrth eich ffrindie i gyd! Da, da, da, dee, da, da, da, dee, da..."

Mmm, meddyliodd Dan, gan ymlacio. Teimlai'r panig yn lleddfu ac yn diflannu gyda phob un o'i feddyliau arswydus. O dan y cwrlid tila, roedd bys mawr ei droed dde yn tapio i guriad y gerddoriaeth.

Tir Neb

"Cym'ra hwnna'r pwrsyn!" meddai'r dyn, yn ei dymer. Uwch ei ben, daliai fwyell yn ddisgwylgar. Hyrddiodd y llafn trwy'r aer a chyda holl nerth ei ddwy fraich fusgrell, torrodd drwy'r ysgwydd fel cyllell trwy fara. Roedd ei wyneb yn binc fel bitrwt, yn rhannol oherwydd mai ychydig iawn o gysgod a roddai ei ben moel iddo rhag haul canol dydd ac yn rhannol oherwydd pwysau'r ymdrech. Roedd y fwyell yn drwm ac yntau'n hen.

Newydd gyrraedd oedran yr addewid yr oedd ei gorff, ac roedd hwnnw fel sach chwarter llawn o datws. Fel rhan uchaf y sach, roedd ei frest wedi suddo a'r tatws i gyd fel petaen nhw wedi eu pentyrru ar y gwaelod i greu dau stwmpyn o goesau a bola crwn.

"Fyddi di'n cadw dy grafange i ti dy hunan o hyn mla'n, y mochyn!" sgrechiodd. "Dy grafanc, hynny yw. Yr un sydd 'da ti ar ôl. Ddylet ti ddiolch i fi am ganiatáu i ti ei gadw!"

Dechreuodd chwerthin ar ei jôc ei hun. Trodd y pwffian yn dagu wrth iddo ymladd am ei wynt. Yn sydyn, tawodd y dyn. Byddai angen ei ynni i gyd arno er mwyn taro'r ergyd nesaf. Rhoddodd holl nerth ei gorff eiddil ym mraich y fwyell a disgynnodd y gangen yn glewt ar y llawr.

* * *

Yng nghegin y tŷ, nid nepell o'r berllan, ni tharfodd y twrw ryw lawer ar y prysurdeb boreol. Roedd Maureen Jones yn ei ffedog yn paratoi cinio i'w gŵr. Rhwng hymian y ffwrn gynnes, hyrdi gyrdi *Can't Cook, Won't Cook* ar y teledu bach a'r ffaith bod ei chlyw yn pallu, go brin y byddai wedi clywed trên Intercity petai un wedi gwibio heibio i'r ffenest. Allech chi fentro, fodd bynnag, y byddai wedi ei weld, hyd yn oed petai'n carlamu ddau gan milltir yr awr. Ychydig iawn a ddigwyddai y tu allan i bedair wal y bwthyn nad oedd Maureen yn ei weld. Doedd ganddi ddim dewis, meddai hi, ond cadw'i llygaid led y pen ar agor.

* * *

"Aaaah!" sgrechiodd Arthur fel milwr yn ymosod ar ei elyn wrth iddo redeg at darged newydd a oedd yn profi'n fwy styfnig na'r llall. "Fydd rhaid i ti ffindo rh'wle newydd i stwffo'r gwm cnoi 'na nawr," meddai, a thorri sleisen o'r foch, fel tafell o facwn.

O'r coed afalau, plwmwns ac eirin gwlanog oedd wedi bod yn trigo ger y bwthyn yn hwy na Maureen ac yntau, roedd wedi troi ei sylw at y llwyn mwyar pigog. Ar ôl casglu ei wynt ato trawodd y llwyn eilwaith. Daliodd y llwyn y llafn rhwng ei fysedd cnotiog nes bod y fwyell ac Arthur yn diasbedain.

Cymerodd gip slei dros ei ysgwydd i wneud yn siŵr nad oedd Maureen wedi cripian mas i fusnesa. Roedd cinio'n barod, dyna fyddai ei hesgus parod. Ond busnesa y byddai hi. Doedd hi ddim yn ymddiried ynddo i dendio'r ardd ers iddi ddarganfod nad oedd Arthur wedi bod yn chwynnu'r gwelyau blodau yn ôl ei arfer. Asen o fenyw styfnig oedd Maureen. Gwnaeth e ei orau glas i'w pherswadio ond doedd hi ddim yn fodlon cydnabod bod yna ambell ddarn o chwyn oedd mor bert yn ei ffordd ei hun â sawl blodyn. O wrando arni hi, chredech chi fyth fod ganddo dros hanner can mlynedd o brofiad fel garddwr proffesiynol. Hon oedd ei deyrnas, roedd yntau'n geidwad arni. Neu, dyna fu'r sefyllfa tan nawr.

* * *

Ar y teledu, roedd Anthony Squirrel-Thomas yn lluchio persli dros y brithyll mewn saws cnau coco a gwsberis. Lluchio yr oedd e, yn hytrach nag addurno, oherwydd bod Heather newydd gyhoeddi bod yr amser cwcan ar ben. Ac roedd y llipryn o gystadleuydd a oedd wedi ei herio i greu pryd cyflym a blasus o ddarn o bysgodyn, pecyn o gnau coco a llond llaw o wsberis, yn edrych fel petai ar ei chythlwng. Roedd amser cwcan fflan Maureen ar ben hefyd. Fflan eog, brocoli a chyrri ydoedd – ei rysáit hi ei hun. Os oedd y teledu wedi dysgu rhywbeth i Maureen, roedd wedi ei dysgu ei bod hi'n bosib creu pryd bwyd cyffrous o unrhyw gynhwysion. Tamaid bach o ddychymyg, dyna i gyd oedd ei angen arnoch chi. Gallech ddweud ta-ta am byth wrth datws a grefi a sglod a chod.

Dallwyd Maureen gan y niwl ar ei sbectol wrth dynnu'r fflan o'r ffwrn. Fe'i hatgoffwyd gan y gwres fod Arthur allan o hyd yn haul crasboeth mis Awst. Doedd dim synnwyr yn y peth, dyn yn ei oed a'i amser. Ond, fel arfer, roedd ei gŵr wedi troi clust fyddar i'w chynghorion i adael y gwaith tan iddi oeri. Stripio at ei fest oedd ei unig gyfaddawd a mas ag e fel bollt. Roedd hi'n hen bryd iddo gymryd seibiant. Roedd e'n ddigon dwl yn barod heb i'r haul rostio hynny o ymennydd ag a oedd ganddo ar ôl. Sychodd ei sbectol ac agor ffenest y gegin.

"Cin-io!" gwaeddodd yn grac. Caeodd y ffenest yn glep a chychwyn gosod y bwrdd. I dri.

* * *

Rhwng Maureen yn y gegin ac Arthur yn y berllan, roedd yna drydydd person yn torri lawnt berffaith y cefn. Peipen ddŵr o ddyn oedd hwn, yn denau hyd at yr asgwrn a chanddo goesau a breichiau wedi crymu fel petaen nhw wedi eu gwneud o rwber. Roedd e'n mwmian yn hapus iddo'i hun i gyfeiliant y peiriant torri gwair, un trydan, modern a gasglai'r gwair drosto'i hun ac a wnâi, meddai Maureen, i beiriant Arthur swnio'n debycach i dractor disel hynafol.

Roedd Russ yn weithiwr bach da. Torrai'r lawnt yn stribedi taclus. Pan fyddai â'i gefn at y tŷ roedd ei lygaid ar y gwair. Ond pan fyddai'n gwthio'r peiriant tuag at y tŷ, codai ei olygon tua'r ffenest ble byddai Maureen, mwy na heb, wrth y sinc. A phellter oedran o ddeugain mlynedd rhyngddynt, teimlai Russ yn berffaith gyfforddus wrth daro ambell winc ati. Parai hyn i Maureen wrido hyd at fôn ei chlustiau.

* * *

"Aa-rthur!"
Clywodd y waedd am y trydydd tro a gadawodd i'r fwyell gwympo. Wrth ei draed roedd brigau a changhennau yn bentyrrau anniben, fel cyrff wedi eu taenu ar faes y gad. Camodd yn ôl i edmygu ei waith. Uwch ei ben,

safai'r coed a'r llwyni'n druenus yn eu noethni newydd. Heb eu ffrwythau, roedd y goeden eirin gwlanog, y goeden afalau a'r goeden blwmwns – ffynhonnell sawl tarten o eiddo Maureen – fel tri sgerbwd, a'r llwyni'n ddim mwy na chysgodion o'u gwyrddni gynt. Gwenodd Arthur, a'i frest yn chwyddo fel brenin y twrcïod. Ni fyddai'r berllan ar ei newydd wedd yn plesio Maureen ond roedd wedi arbed sawl awr galed iddo'i hun. Fyddai dim galw arno i drimio'r rhain am sbelen hir iawn.

* * *

Ffrydiai'r dŵr o'r tap gan wyngalchu ei ddwylo â'i oerni brathog. Tasgai'r pridd oddi ar y croen a glynu'n ddafnau mwdlyd ar batio gloyw Maureen. Ar y cledrau, roedd pridd y blynyddau wedi marcio'r myrdd o greithiau fel tatŵs.

"Ma' crwban yn symud yn glouach na chi, Arthur Roberts," meddai Maureen o'r gegin.

Edrychodd Arthur o'i gwmpas am dywel ac, yn ddall i'r un a grogai wrth ei benelin, sychodd ei ddwylo glân yn erbyn pen-ôl ei drowsus. Ni sylwodd ar y staen yn anharddu ei law dde a chamodd i mewn i'r gegin.

Erbyn iddo eistedd wrth y bwrdd, roedd Russ wedi hen olchi ei ddwylo yn sinc y gegin ac yn claddu llond plât o fflan a thatws trwy eu crwyn yn ei geg wlyb.

"Blincin grêt!" meddai.

"O hisht nawr-w! Dim ond sbariwns sy 'da fi heddi 'to." Ond gwenai Maureen o glust i glust.

"So nhw'n dishgwl fel sbariwns i fi, reit. Ma' gwledd fach fan'yn. Ffit i frenin 'fyd! Ond ma' un broblem, Mrs Jones..." Heb yn wybod iddi, smiciai llygad chwith

Maureen yn bryderus. "Ble wy'n mynd i ddachre!"

"Wel, bytwch 'te, Ru-ss, fel 'sech chi ga'tre." Swniai chwerthin aflafar Maureen yn debycach i asyn yn udo. "A chi'n cofio beth wedes i ddo'? Galwch fi'n Maureen! Chi'n 'neud i fi d'imlo fel hen gant-w gyda'ch 'Mrs Jones'."

Wel, mi rydych chi'n ddigon hen i fod yn hen fam-gu iddo, meddyliodd Arthur yn sur wrth lygadu'r bwyd o'i flaen yn amheus. "A beth, er mwyn y mowredd, yw'r rhein?" gofynnodd gan bwyntio'n gyhuddgar â'i fforc.

"Wel nage *alsation* a dau ganeri!" crawciodd Maureen yn bigog.

Wrth ei hochr, rhofiai Russ ei fwyd yn ddiwyd. Doedd ei geg ddim yn wag yn ddigon hir iddo ymuno yn y coethan.

"Ma'n nhw'n dishgwl fel ffa pob i fi. Ond ma'n rhaid 'mod i'n gweld pethe achos 'sdim ffa pob 'da ni yn yr ardd 'leni!"

"Nag o's, sbo," atebodd Maureen. "Ond trw' lwc ma' digonedd yn Tesco!"

"Tesco! A llond whilber o foron a chidnabêns yn yr ardd yn rhad ac am ddim."

"A 'sdim lot ymbyti dim un ohonyn nhw. Weles i well gra'n ar ddail pî-pî na sy ar y'ch cidnabêns tene chi!"

Canodd clindarddach cyllyll a fforc Russ yn erbyn y plât tsieina fel cloch mewn gornest focsio. Roedd y rownd gyntaf ar ben.

"Ife'ch tato chi yw'r rhein, Mr Jones?" gofynnodd Russ yn ffug-ddiniwed, gan lyncu'n galed rhag iddo becial o flaen Maureen.

"Ie!" mwmiodd Arthur yn sur.

"Ife? Wel, ma'n nhw'n lyfli! Yn mynd lawr heb dwtsh â'r ochre."

Gwenodd Arthur yn fuddugoliaethus ar Maureen.

Sylwodd Russ ar ei hymateb siomedig. "Ma'n nhw wedi'u cwcan yn dda 'fyd, Maureen. 'Na beth yw trît. So ni'n ca'l tato ga'tre. Ddim tato reit. So Tonja'n fowr o gwc. Mae'n gwd gwraig mewn dipartments er'ill ond fowr o gwc. R'yn ni'n ca'l tships wedi rhewi i de bob nos. A Smash 'da cino dydd Sul."

"Tr'eni." Gwenodd Maureen gan anghofio am y cweryl. "Fydd rhaid i chi ga'l llond sach o dato i fynd ga'tre i'r plant. Os 'yn nhw'n rh'wbeth tebyg i'w tad, fydd isie magu gra'n arnyn nhw... Arthur, ewch chi i nôl tatws i Russ! Gewch chi'ch pwdin ar ôl dod 'nôl!"

Cnodd Arthur ei dafod a throi i ffwrdd at y ffenest. Doedd e ddim yn synnu gweld y cymylau'n casglu uwchben.

* * *

Yr unig olau a ddeuai o'r cwt oedd y golau o hen lamp feic oedd wedi ei sodro i'r fainc. Fentrai'r dyn ddim cynnau'r golau llawn er bod yna fwlb newydd yn crogi o'r nenfwd. Roedd yn rhaid iddo weithio yn y dirgel. Roedd yn rhaid iddo weithio'n gyflym. Wrth ei benelin roedd yna fag papur â photel yn pipian dros yr ymyl, potel arbennig yr oedd wedi ei phrynu yn y ganolfan arddio leol yn gynharach y diwrnod hwnnw. Sgrechiai corff y botel y neges 'Peidiwch â'i lyncu!' A rhag ofn nad oedd hynny'n ddigon o rybudd roedd y dyn y tu ôl i'r cownter wedi ei siarsio i gadw'r botel yn saff rhag dwylo bach.

Gwenodd y dyn wrtho'i hun. Llenwodd chwistrell â'r hylif. Anelodd y pìn at y nenfwd a gwasgu deigryn o'r blaen. Yna, gyda'i law rydd, tynnodd rywbeth o gwdyn plastig ar y

fainc. Aeth yn nes at y lamp i gael gwell golwg ar yr hyn yr
oedd e'n ei wneud. Yn ei law chwith daliai daten. Gyda'i
law dde plymiodd y pìn i fola'r daten a gwylio'r hylif yn
diflannu, fesul tipyn, o dan bwysau ei fawd. Byddai, fe
fyddai blas go arbennig ar y tatws hyn! Ni allai Iesu Grist
ei hun fod wedi gofyn am well ar gyfer ei swper olaf.

* * *

Croeshoeliwyd y daten gan bigyn y fforc. Wrth ei 'sgidiau,
gorweddai dwsin o datws yn y pridd fel wyau clwc ar
wyneb dŵr.

"Da-cu? Pam 'ych chi'n rhoi dŵr ar y goes yn lle'r
blodyn? A pam, Da-cu, 'ych chi'n torri penne'r rhosod
pan ma'n nhw 'di marw? A Da-cu, pam 'ych chi'n rhoi'r
gwair yn y gornel ddrewllyd?"

Gwgodd yr hen ŵr ar y crwtyn. "A pham gythrel wyt
ti'n gyment o boen tin, Arthur Jones?"

Tynnodd Arthur y daten yn rhydd gyda phlwc a'i thaflu
i mewn i'r sach.

* * *

Galwedigaeth oedd garddio i Arthur, nid swydd naw tan
bump. Nid oedd y mwyeilch yn peidio â bwyta'u gwala
o hadau gladioli am eich bod chi wedi ymlâdd ac eisiau
gadael tan yfory y gwaith o greu ymbarél plastig i'w
hamddiffyn. Ni chafodd drafferth i ymdopi. Ond, yn
ddiweddar, roedd Arthur wedi dod yn raddol ymwybodol
fod ei ffrindiau gynt, y planhigion, wedi troi arno.
Byrdwn eu cynllwyn oedd tyfu'n gyflymach bob dydd
yn y gobaith na fyddai Arthur yn gallu eu dal. Fe fyddai'n

cael ei orfodi i roi'r gorau i'w frwydr, a nhw fyddai'n teyrnasu dros yr ardd.

Ond roedd wedi deall eu celwyddau a'u castiau. Roedd wedi llunio ei gynllwyn ei hun a bwriadai ymosod yn ddidrugaredd a gwaredu'r gwrthryfelwyr unwaith ac am byth. Brwydr galed oedd hi. Bu'n rhaid i Arthur roi'r ffidil yn y to mewn ambell lecyn. Yn y gwely blodau mwyaf yn y cefn, roedd chwyn yn tyfu law yn llaw â ffiwsias a chrysanths. Doedd y llysiau ddim mor llewyrchus heb y gwrtaith cartref ac roedd y lawnt gefn wedi hen gael ei rhybudd terfynol. Rhagor o drwbwl oddi wrth honna a byddai'n adeiladu patio! Ar ben y cwbl roedd ei gefn yn stiff fel pren. Ond yn wahanol i'r hyn a gredai Maureen gallai Arthur ymdopi'n iawn, diolch yn fawr, heb unrhyw help – yn enwedig help rhyw glwtyn llestri o grwtyn fel Russ Cooper...

* * *

Peipen ddŵr gyffredin oedd hi ond llwynog o ddyn oedd yr hen ŵr. Roedd ei fysedd crefftus wedi plethu'r beipen a'i thrawsnewid yn laso. Mewn brwydr dwrn am ddwrn, colli fyddai ei hanes. Roedd ei elyn, er yn denau fel rhaca, yn iau nag e. Ond dyna ogoniant laso. Doedd dim angen i chi fod yn gryf.

Y gyfrinach oedd ymosod ar eich gelyn yn ddisymwth. Crogi'r laso dros ei ben a thynnu nerth eich gwallt. Un plwc da ac fe fyddai ar ben arno. Yr unig frwydr oedd honno rhwng y laso a'r dyn. Fe allech chi fod ddeg troedfedd i ffwrdd â bysedd eich menig yn dynn am gynffon y beipen.

* * *

Tybiai Russ ei fod wedi glanio ar ei draed y tro hwn. Câi'r boddhad mwyaf o wybod mai iddo ef ei hun yr oedd y diolch. Dwy flynedd mwyaf diflas ei fywyd oedd y ddwy flynedd ar y clwt er cau'r ffatri grisps. Fyth er hynny, fe'i gorfodwyd i ddibynnu ar y wlad am y to dros ei ben a'r bwyd yn ei stumog e a'i deulu. Hynny yw, nes iddo ddefnyddio tamaid bach ar ei ben a nerth ei fraich i'w codi ar eu traed unwaith eto. Blwyddyn arall a phwy a ŵyr na fyddai'n ennill digon i roi'r gorau i dynnu'r dôl yn gyfan gwbl a dechrau'r busnes yn swyddogol.

Yn rhyfedd ddigon, yn ystod y daith wythnosol honno i gasglu ei arian dôl yr oedd wedi taro ar y syniad yn y lle cyntaf. Ar ei ffordd i'r swyddfa bost, rhyfeddai at y gwahaniaeth rhwng y bocs 'sgidiau o dŷ cyngor y trigai e ynddo a'r byngalos crand a daflai eu cysgodion gwawdlyd drosto. Tair, weithiau pedair 'stafell wely, ceginau modern a 'stafell fwyta ar wahân, garej a chlampiau o erddi digon mawr ar gyfer llysiau, patios a phyllau pysgod. Ond roedd hi'n amlwg i Russ, wrth weld golwg druenus ambell un, eu bod nhw'n fwy nag y gallai eu perchenogion prysur ymdopi â nhw.

Cyflog fras swyddi'r dref a dalai'r crocbris o forgais ar y rhain. Ar ôl pum niwrnod o deithio'r holl ffordd i Gaerfyrddin i dalu am eu cestyll cefn gwlad, roedd eu perchenogion wedi ymlâdd. Pobol wedi ymddeol oedd y lleill, a diffyg egni oedd eu hesgus hwythau dros esgeuluso'r ardd. Go brin eu bod nhw wedi sylweddoli wrth brynu cartrefi eu breuddwydion, na fyddai eu gwynegon na'u cefnau blinedig yn gallu ymdopi â'r gwaith cyson a fyddai'n angenrheidiol er mwyn efelychu clawr *Homes and Gardens*. Trwy lwc roedd gan Russ yr amser, yr egni a pheiriant torri gwair ail-law. Edrychai mor wan â chath ond roedd mor gryf â cheffyl. Doedd yr un dasg yn rhy fach na mawr am dâl o arian parod a dysgledi rheolaidd o de.

Roedd ambell wraig tŷ'n barod iawn ei chymwynas. Ymhlith y goreuon yr oedd Maureen. Yn anaml iawn y byddai Russ yn gadael 'Y Bwthyn Bach' heb darten, cawl neu fflan o ryw fath o dan ei gesail. Ond pan oedd yn dechrau chwilio am waith, aeth heibio i'r 'Bwthyn Bach' heb gnocio'r drws. Ganwyd a magwyd Russ yn Llanbedlan ac roedd yn adnabod ei thrigolion fel cefn ei law. Dim ond mewnfudwyr oedd ddim yn gwybod am dalentau garddio Mr Arthur Jones. Sarhad fyddai cynnig ei help i 'Arddwr y Flwyddyn' Sioe Amaethyddol Fawreddog Llanbedlan ers cyn cof.

Un diwrnod roedd Russ yn torri lawnt Mrs Landes-Downes, y peth agosaf i grach yn Llanbedlan. Ac yntau wedi ei ddallu gan yr haul, ni welod e Maureen, y bêl o fenyw oedd wedi ei magu ar fenyn a hufen ac a wisgai oferôl barhaus i arbed ei dillad.

"Maureen... Maureen Jones," meddai'n ansicr gan wthio ei sbectol pot jam yn ôl ar ei thrwyn.

"Hia!" meddai Russ, ddim yn siŵr ai'r haul a barai i Maureen edrych fel petai'n llygadu ei jîns.

"Sa i'n fenyw fusneslyd. Sa i'n credu y bydde neb yn gweud 'ny. Ond o'n i'n glanhau'r ffenest, chi'n gweld, ac o'n i'n ffaelu help dishgwl mas. Ffaelu help y'ch gweld chi'n dadbacio'r peiriant. Sa i moyn i chi feddwl 'mod i'n hen drwyn ond... y... beth yn gwmws 'ych chi'n 'neud yng ngardd Mrs Landes-Downes?" Siglodd ei phen ac ysgwyd y cwrls tyn fel cynffonnau ŵyn bach.

"Garddio," atebodd gan wenu. "Gardd Mrs Landes-Downes, ac unrhyw ardd arall yn y pentre. Torri gwair,

priwnio, cloddio, plannu beth bynnag sydd isie 'neud. Fy
moto i yw 'cadw'r ardd yn hardd'."

"Mab William Cooper 'ych chi ontefe?"

Nodiodd Russ ei ben.

"O'dd e'n gw'itho yn y cownsil 'da'r gŵr. Fe yw'r
garddwr yn 'yn teulu ni. 'Ych chi siŵr o fod yn gw'bod
amdano fe… Arthur Jones?"

Nodiodd Russ ei ben, eto.

"Ond dyw e ddim yn mynd tamed iengach. Bydde pâr
arall o ddwylo yn help mowr i Arthur, ac i fi. Wy'n whilo
am rywun i ofalu am 'yn rhododendrons i."

* * *

Halen y ddaear o fenyw oedd Maureen. Bob wythnos
deuai cais am awr fach fan hyn a fan'co, trimio'r rhosys
neu blannu hambwrdd o berlysiau. Tasgau roedd Arthur
wedi addo eu gwneud ers tro byd. Wrth iddo ddod i'w
nabod, sylweddolai Russ mai menyw falch oedd hon. Câi
Maureen fodd i fyw o glochdar bod yna fwy na digon o
gidnabêns yn eu gardd nhw ac o gynnig tusw i gymydog
oedd yn edmygu'r pys pêr yn yr ardd ffrynt. Buan y
deallodd Russ bod cynnig ambell eirda yn sicrhau na
fyddai e'n mynd adref yn waglaw chwaith.

Hen foi iawn oedd Arthur hefyd. Draenen bigog y tu
allan, ond y tu mewn roedd e'n feddal fel afal pwdr. Os
oedd e'n dal dig yn ei erbyn, ni allai Russ weld bai arno.
Gardd Arthur Jones oedd ei deyrnas. Dwy erw i gyd, ac
erw a hanner yn ormod i ddyn dros ei ddeg a thrigain. Ar
ei waethaf roedd ei baradwys wedi troi'n dipyn o jyngl.

Creadur heddychlon oedd Russ. Ymladdai ddant ac
asgwrn dros ei deulu petai angen, ond ni fyddai fyth yn

hwpo'i drwyn ym musnes neb arall. Ond roedd yn rhaid iddo ddweud bod bai ar Maureen.

"Hei! Beth gythrel sy'n mynd mla'n fan hyn?" bloeddiodd Arthur o bell ar ddychwelyd o'r berllan a dal Russ yn torri'r lawnt gefn.

Symudai Russ yn ansicr o un droed i'r llall. Ni fyddai wedi ei sarhau'n fwy petai wedi ei ddal yn y gwely gyda Maureen! Dechreuodd Arthur redeg, mor gyflym ag y gwnâi'r welingtons a dwy goes athritig ganiatáu, gan chwifio bwyell uwch ei ben. Roedd hi'n amlwg wrth ei 'stumiau ei fod e'n ymdrechu i ddweud rhywbeth. Ond rhwng ei fod yn anadlu'n ddwfn fel crwban asthmatig yn rhedeg y Marathon ac yn cystadlu â rhu'r peiriant torri gwair, prin y gallai Russ ei glywed. O gwrteisi, diffoddodd y peiriant.

"Nid ga'tre 'ych chi nawr, ddyn! Mas o 'ma! Cyn i fi alw'r heddlu."

"Mau… Misys Jones," meddai Russ gan droi ei ben at y tŷ. Safai Maureen yn y ffenest fel drychiolaeth. "Mae 'di gofyn i fi dorri'r gwair… a chwpwl o jobsys er'ill…"

Rhythodd yr hen foi arno fel petai'n siarad Saesneg. "Wel, ma' hi 'di 'neud yffach o gamgymeriad 'te," poerodd, wedi saib hir i ddal ei anadl. Roedd yn dal i ysgwyd y fwyell. "Odych chi'n gw'bod pwy ydw i?"

"Odw, Mr Jones."

"Fyddwch chi'n gw'bod bod dim isie'ch help chi 'te!"

"Arthur!"

Daeth gwaedd fel bollt o'r ffenest agored. Trodd Russ i weld llond pen o fodrwyau di-sglein yn diflannu o'r ffenest. Mewn chwinciad, roedd Maureen yn cau drws y cefn yn glep ac yn stompian ar hyd y lawnt fel petai'n newid y gwarchodlu ym Mhalas Buckingham. Nid y lawnt oedd yr unig beth oedd yn crynu. Cwympodd y fwyell yn llipa fel letys mewn ffwrn.

"Gadwch y dyn 'na i fod, Arthur Jones!" sgrechiodd.

"Dim tra'i fod e'n tresbasu ar fy lawnt i!"

"Ein lawnt ni! Yr un r'ych chi'n bygwth ei throi'n jyngl goncrit."

"I beth yffach ma'r holl wair 'ma'n dda? Dim byd ond gwaith."

"Yr holl wair 'ma yw 'ngolygfa i. A 'sdim cacen o ofn gwaith ar Russ."

"A beth ymbyti 'nghefen i? "

"Wfft i'ch cefen chi! 'Sdim byd yn bod ar gefen Russ."

* * *

Rhythai'r dynion ar ei gilydd yn haul tanbaid canol dydd, a'r chwys yn rholio i lawr eu gruddiau'n farblis coslyd. Rhyngddyn nhw, roedd deg troedfedd o lawnt wedi'i phriwnio'n berffaith. A dwy genhedlaeth. Roedd y darn tir hwn yn rhy fach i'r ddau ohonyn nhw. Doedd yna ddim cyfaddawd. Ei deyrnas e oedd hon. Dyna fu hi erioed. Ei waith e oedd gofalu am bob gwelltyn ynddi. Neb arall.

Roedden nhw wedi dewis eu harfau. Yng ngafael yr hen law, roedd y tractor petrol, y Turbo pedwar deg. Yn llaw'r crwt, y Flymo tri chant Turbo Compact. Plygodd yr hen ŵr dros y peiriant a thanio'r injan. Ddaeth hi ddim. Cyn iddo allu penlinio i roi cynnig arall clywodd injan ei elyn yn rhuo fel llew heb ei frecwast.

* * *

Pipo trwy'r ffenest oedd un o bleserau bywyd Maureen. Hyd yn oed mewn pentref gwledig fel Llanbedlan, roedd bob amser rhywbeth i'w weld. Câi gleber y teledu yn gwmni trwy'r dydd ond doedd yr operâu sebon dyddiol ddim hanner mor gyffrous â bywyd ar ei stepen ddrws. Ble roedd y Bleminghams drws nesaf yn siopa ers i'r gŵr gael ei ddiswyddo? Pwy oedd y dyn ifanc oedd yn parcio'i foto-beic yn y cefn tra oedd Mr Landes-Downes yn y gwaith? Beth oedd lliw gwallt Mrs Davies, Bwthyn Uchaf, yr wythnos yma? Ac a fyddai ganddi wallt o gwbl ar ei phen yr wythnos nesaf petai'n parhau i'w liwio'n ddidrugaredd. Pan oedd wedi 'laru ar yr olygfa yna, roedd yr ardd ysblennydd yn y cefn... ac Arthur. Fel Brawd Mawr, roedd yn rhaid cadw llygad barcud ar hwnnw. Y dyddiau yma, rheidrwydd oedd hynny yn hytrach na mympwy.

* * *

Doedd hi ddim yn saff peidio, meddai hi. Yn blwmp ac yn blaen fel'na. Ac nid wrtho fe. O, na. Wrth Mrs Davies Bwthyn Uchaf o bawb. Yr hen geg fawr fusneslyd. Diolch i honno, roedd hanes y Sioe siŵr o fod yn dew rownd y pentref. Ers mis, methodd wynebu mynd i'r Swyddfa Bost i gasglu'r Western Mail. Roedd Miss Evans Post wedi ffonio ddwywaith yn bygwth danfon y papurau at yr RSPCA i ddal caca hen gathod.

"Sach mai fi sy'n gweud, 'sneb fel Arthur ni am arddio, Mrs Davies fach. Moron, tatws, cidnabêns. Rhestr hir hyd 'y mraich. Y llysie mwya blasus o fan hyn i gegin y Savoy. Ma'n nhw 'di ennill y gwobre i gyd. O'u cymharu â rhai Arthur, ma' hyd yn o'd fy ngwobre i am darten fale a phice bach ar y maen – a ma' llond whilber o'r rheini – yn dishgwl fel piso dryw bach yn y môr."

Roedd hi'n syndod bod yr un ohonyn nhw'n clywed gair dros ben sŵn crensian y gacen foron, Cornflakes a siocled gwyn.

"O'n i'n siŵr mai blwyddyn Arthur fydde hi leni 'to. So chi'n gweld bai 'na' i. "

"Dim bai o gwbwl," meddai Mrs Davies, yn rhedeg ei bysedd trwy ei pherm porffor.

"O'r c'wilydd! 'Nes i edrych lawr 'y nhrwyn ar foron Mrs Landes-Downes! O'dd dim cymharieth! O'dd moron Arthur ddwyweth 'u maint nhw." Tawodd Maureen yn ddramatig i bigo moronen o'i dannedd gosod. "Ond pan ddaethon ni'n ôl i'r babell am y canlyniade, o'dd Arthur wedi ca'l 'i wahardd o'r gystadleueth! Mam fach, 'na beth o'dd c'wilydd. Es i'n biws fel bitrwt! I ddachre, o'dd y beirniad wrth ei fodd â maint moron Arthur. Ond pan gododd e'r foronen, i'w phwyso, fe welodd e r'wbeth yn sownd i'w phen-ôl!"

Siglodd Mrs Davies ei phen yn eiddgar.

"Sticer! Dim mwy na gewin bys bach. Ac wedi'i sgwennu'n blwmp ac yn blaen ar hwnnw – 'Cynnyrch Sbaen'!"

* * *

"Alla' i egluro," meddai Arthur wrth y beirniad â'r wyneb fel pêl ledr wedi colli ei gwynt.

"Dewch!" hisiodd Maureen trwy ei dannedd. Cydiodd yn dynn yn Arthur gerfydd ei fraich a brasgamu am y maes parcio fel petai'n hyfforddi ar gyfer yr Olympics. Doedd hi ddim ar unrhyw gyfrif yn mynd i daro ar yr enillydd go iawn, Mrs Landes-Downes.

"Grondwch, Maureen. Wy' 'di bod yn fishi, fel lladd nadro'dd, a ches i ddim amser i fagu gwrteth 'yn hunan."

"Y Sioe! 'Na'r unig bleser wy'n 'i ga'l wrthoch chi, Arthur Jones!"

"O'n i'n mynd i 'weud 'thoch chi. Fues i yn B an' Q a cha'l bargen ar wrteth yltra-bwerus. Dim blincin rhyfedd bod y jawl ar sêl. O'dd e'n dda i ddim! Yn cynhyrchu moron fel bysedd babi!"

Stopiodd Maureen yn stond a rhythu arno. "O nawr mla'n, fydda' i'n y'ch watsho chi!"

Yn rhyfedd iawn, er ei bod hi'n honni bod yn swp o embaras oherwydd y digwyddiad, doedd arni ddim gormod o gywilydd fel na allai adrodd pob manylyn i'r byd a'r betws.

Mewn pwl o gynddaredd chwynnodd Arthur dri gwely blodau o hoff rosod pinc Maureen. Ei benyd am hynny oedd Russ Cooper. Roedd e'n berwi. Petai ddeng mlynedd yn ifancach, gwyddai'n gwmws beth fyddai'n ei wneud...

* * *

"Arthur!"

Torrodd y waedd ar draws ei synfyfyrio. Roedd e'n palu am ei fywyd. Roedd hi'n bygwth dod i'r glaw unrhyw funud a gobeithiai orffen ei waith cyn iddi ddechrau arllwys i lawr.

"Ar-thur!"

Fel brân yn crawcian, yn nes na'r gyntaf. Yn anfodlon, plannodd ddannedd y fforc yn y pridd.

"Wy' moyn deg punt!" hisiodd Maureen, yn rhy brysur yn twrio yn ei phwrs i edrych ar ei gŵr. "Dewch! Wy' moyn talu Russ."

"Hy! Talu hwnna am r'wbeth allwn i 'neud am ddim 'yn hunan." Ailgydiodd Arthur yn y fforc.

"Odych chi moyn i Russ 'weud wrth bawb bod Mr a Mrs Jones Bwthyn Bach yn ffaelu talu? Ar ben popeth arall."

"Wel, sgwennwch siec 'te, Maureen fach."

"Ma' Russ moyn arian parod."

"So fe ddigon hen, sbo, i ga'l cownt banc."

"So fe moyn y gwasanaethe cymdeithasol yn hwpo'u trwyne miwn i'w fusnes e... A! Pidwch becso. O'n i'n gw'bod bod deg punt 'ma rh'wle."

Trodd Arthur yn ôl at y palu cyn i Maureen weld y wên ar ei wyneb. Rhwng y cymylau, roedd yr haul yn pipian yn swil. Teimlai'r pelydrau'n gynnes fel blanced ar ei gefn.

* * *

Rhoddodd y ffôn yn ôl ar ei wely a chripian i mewn i'r gegin. Roedd sŵn y teledu bach yn fyddarol. Sylwodd ag ochenaid bod Maureen yn astudio rysáit am rywbeth a edrychai'n debyg i goesau octopws. Aeth ias i lawr asgwrn ei gefn. Y tu allan, roedd hi'n bwrw hen wragedd a ffyn.

" 'Na beth yw gw'ithwr!" gwenodd Maureen yn fodlon, gan dipian ei phen at y ffenest. "Wy' 'di gweud a gweud 'tho fe am ddod mewn. Ma' fe'n iawn, medde fe. Ond iddo ga'l benthyg cot."

" 'Neiff e'm boddi, ta beth," poerodd Arthur yn swta. "Chi'n gweud erio'd 'i fod e'n cerdded ar ddŵr."

"Yn ôl Russ, ma' bron â bod digon yn y domen i'w chau hi dros y gaea," meddai Maureen yn ei anwybyddu. "Fydd yr ardd i gyd yn elwa ar y gwrteth pan ddaw'r gwanwyn."

Roedd Arthur yn falch o weld bod y glaw wedi peidio erbyn amser te. Araf oedd y gwaith pan oedd y glaw'n eich fflangellu. Roedd e'n gobeithio y câi Russ amser i orffen y dasg ddiflas yna cyn iddo adael. Oedd, roedd e bron yn siŵr iddo weld cip ar yr haul dros y gorwel. Fe fyddai'n rhaid i Russ fynd i'r llys. Roedd y gwasanaethau cymdeithasol yn llawdrwm ar bobol oedd yn eu twyllo. A thwyllwr go iawn oedd dyn busnes a oedd yn dal i dynnu dôl. Fyddai Mrs Landes- Downes a Maureen ddim eisiau ei nabod.

"Odych chi'n berwi sane to?" gofynnodd wrth i'w ffroenau lenwi â gwynt pysgod ffres.

"Swper. Wy'n 'neud digon i saith."

"Saith!"

"Russ a Tonja a'r plant."

"Beth ma'r rheini'n dda 'ma?"

"Tr'eni! Ma' tri bach o dan bump."

"Pwy dr'eni? Ma'r DSS yn talu'r cwbwl."

"A diolch amdanyn nhw, weda' i. Neu fysen nhw'n starfo!"

"Tri! Gob'itho'i fod e'n gw'bod mwy am arddio na *Family Planning*!" Ond doedd ei galon ddim ynddi.

Aeth Arthur at y ffenest ac edrych o'i gwmpas. Roedd bwa'r enfys yn pontio o un pen i'r ardd i'r llall. Torrodd gwên ar draws ei wyneb crychlyd. Roedd ar fin adennill ei deyrnas. Dwy erw gyfan. Syrthiodd y wên yn wep. Gafaelodd yn ei gefn wrth i hwnnw frathu. Pan drodd yn ôl at y ffenest, roedd y glaw eisoes wedi dechrau pitran-patran yn erbyn y gwydr.

Y Cymydog Da

YN UNOL â chyfarwyddiadau'r canllawiau a dderbyniwyd, amgaeaf ddyddiadur manwl parthed symudiadau'r broblem drws nesaf. Dyma'r cyntaf. Bydd mwy i ddilyn.

6.05am. Dihuno. Y babi'n sgrechian. Os allwch chi ei alw e'n fabi. Mae e'n swno'n debycach i Tyrannosaurus Rex. Dihuno'r wraig i weld a oedd hi'n gallu clywed y bytheirio. Hithau'n dweud mai'r unig un yn bytheirio oedd fi. Gorchymyn i mi fynd yn ôl i gysgu. Allwn i fyth â meddwl am gysgu whincad. I chi gael gwybod, mae fy nerfau i'n rhacs. Gwneud nodyn i ofyn i Weddw Pugh rhif 3 a yw hi'n cael munud o lonydd. O.N. Pwysig iawn. 'Dyn nhw ddim yn briod.

8.15am. Amser brecwast. Rex yn dal i sgrechian fel petai e'n cael ei sbaddu. Sôn wrth y wraig nad 'yn nhw'n briod. Hi'n gwybod, meddai hi. Dyna'r drefn heddiw. Gweld os 'ych chi'n gallu cyd-fyw cyn priodi. Fel arall oedd hi yn fy amser i. Os oeddech chi'n ffeindio wedyn eich bod chi wedi gwneud camgymeriad, caws caled! Doedd dim o'r nonsens newid y'ch meddwl – anhapus neu beidio.

8.25am. Y wraig yn gadael y tŷ. Wedi addo ail-ysgrifennu'r C.V. Dim llawer o amynedd. Eisoes wedi anfon llond whilber at gwmnïau lleol. Tri ateb yn unig. Dim un cyfweliad.

Hi drws nesa'n gadael y tŷ. Fe'n symud ei gar o'r ffordd

a'i barcio ar y pafin. Petai e'n berchen ar y car bydde fe'n poeni mwy am ei deiars. Hi'n gyrru dros y gwely blodau.

8.30am. Ei gar ar y pafin yn achosi tagfeydd traffig bob ffordd. Y Nanny'n cyrraedd. Croten ysgol yw hi. O weld ei dillad, allech chi dyngu ei bod hi'n ganol haf. Man a man ei bod hi'n borcyn. R'ych chi'n gallu gweld y cwbl lot – coesau, bola a Duw a ŵyr beth arall. Bore 'ma, allen i dyngu i mi weld ei thethe! Mae'n siŵr bod cyfraith yn erbyn y peth. Chi'n gwybod mwy am hyn na fi.

8.35am. Fe'n gadael. Bron ag anghofio'r briffces. Gorfod mynd yn ôl i'r tŷ. Nodyn. Ai esgus yw hyn i gael un cip arall ar Nanny? Rhaid cofio gofyn ei hoedran. Synnen i fochyn petai e'n cymryd mantais. Mas i'r car. Dim hyd yn oed yn pipo ar y lawnt. Os tyfith y gwair eto, fydd e'n cael proc yn ei lygad! Gaiff e wneud beth mae e'n lico 'da'r jyngl 'na yn y cefn ond mae safonau i'w cadw yn y ffrynt. Mae'n adlewyrchiad ar y stryd gyfan. Sut mae disgwyl iddyn nhw werthu rhif 8, os yw rhif 4 yn ffaelu codi oddi ar ei din i dorri'r lawnt?

"Bore da!" meddai fe.

Dyma fi'n pwyntio at y goeden. "Torrwch y blincin mochyn 'na lawr! Alle hi achosi damwen!"

" 'Ni'n lico'r goeden. Mae hi'n rhoi preifatrwydd," meddai fe'n ewn.

Gwneud nodyn i beidio â gwahodd y snichyn bach i gyfarfod brys o'r *Neighbourhood Watch*. Wyddoch chi mai fi yw'r Cadeirydd? Nodyn arall i roi 'problem y goeden' ar frig yr agenda.

Fe'n codi ei law ar Miss a Syr rhif 6. Rhif 6 yn gadael. Rhif 1 yn cusanu'r wraig. Rhif 1 a'r plant yn gadael. Gobaith am lonydd nawr! Gweddw Pugh yn rhoi dŵr i'r basgedi crog.

8.55am. Y papurau'n hwyr. Ffonio'r siop i gwyno. Tynnu fy sylw at y ffaith nad ydw i wedi archebu papur. Tynnu eu sylw nhw at y rheswm pam. Am ei fod e wastad yn hwyr! Erbyn iddo gyrraedd, mae'r cynnwys yn newyddion ddoe.

Gas gen i wneud môr a mynydd. Ond mae'n ddylet-swydd. Nid er fy mwyn fy hun ond er mwyn eraill. Hen bobl yw'r rhan fwyaf yn y stryd. Rhy hen i gwyno. Maen nhw'n ofni cael llond pen, neu waeth! Wy'n ganol oed ifanc ac yn ofni neb.

9.05am. Postmon Pat ar ei ffordd. Parsel i rif 1. Llythyr i Gweddw Pugh! Ydi hi'n cael ei phen blwydd? Pentwr o lythyron i ddrws nesaf. Biliau, siŵr o fod. Dim post i fi. Gweiddi 'O'r diwedd!' ar Postmon Pat. Chymerodd y cnaf ddim sylw. Dim byd i rif 7. Dim hyd yn oed bil! Ha, ha! Postmon Pat yn mynd.

9.30am. Syrpreis, syrpreis, Rex yn sgrechian. Gorfod rhoi'r gorau i 'sgrifennu'r agenda. Mynd draw at Nanny a gweud wrthi am gadw gwell trefn ar bethau. Ei rhybuddio 'mod i'n nabod pobl. Rex wedi stopio llefain. Ond cloch y drws yn peri i'r Ci Drwg gyfarth. Y Ci Drwg yn dihuno Rex. Symud i'r cefn i 'sgrifennu. Llythyr Pwysig i'r *Journal*:

Annwyl Syr,
Fel aelod cyfrifol a chydwybodol o'r gymdeithas ysgrifennaf atoch i gwyno am ymddygiad anghyfrifol rhai aelodau eraill o'r gymdeithas parthed parcio ceir ar y pafin. Yn fy marn i, ni fyddai dirwy o fil o bunnoedd yn afresymol mewn achosion eithafol...

9.50am. O'r diwedd! Y papur yn cyrraedd. Dim byd i rif 1. Methu fforddio papur. Gormod o blant. Gweddw Pugh rhif 3 yn rhy dynn i gael papur. *Guardian* iddo Fe a Hi rhif 4. Fel arfer, dangos eu hunain! *Golwg* i Miss a Syr rhif 6. *Western Mail* a'r *Express* i rif 7. Syrpreis, syrpreis. Rhaid cael dau o bopeth.

10.00am. Rex yn dawel. Ci Drwg yn dawel. Ond clywed sŵn y teledu. Drama sebon. Sut ydw i i fod i feddwl? Bydd rhaid i'r llythyr pwysig aros. Mynd mas i fesur y goeden. Ymchwil ar gyfer y cyfarfod brys. Sylwi bod dwy gangen mewn peryg o dyfu dros y wal. Os digwydd hynny, fydd gen i ddim dewis ond eu torri.

10.50am. Nanny'n mynd â Rex a'r Ci Drwg am dro. Mynd mas i ofyn a oedd ganddi raw. Dyletswydd arna' i i'w hatgoffa bod dirwy i gŵn sy'n trochi'r stryd. Ei rhybuddio y gallai rhywun ffonio'r heddlu. Ci Drwg yn chwyrnu. Rex yn dawel. Ffonio'r heddlu fy hun i ofyn faint yn union yw'r ddirwy er mwyn dweud wrth Nanny pan ddaw hi'n ôl. Lleisio fy marn bod £100 yn swm bach am drochi strydoedd. Awgrymu y dylid dyblu a threblu'r ddirwy i berchenogion sy'n torri'r gyfraith dro ar ôl tro. Holi beth yw'r gosb am fod yn hanner noeth yn gyhoeddus. Dim ateb. Ble mae'r heddlu wedi mynd?

11.25am. Ffonio *Stondin Sulwyn* i awgrymu dau bwnc trafod ar gyfer y rhaglen. Problem baw ci neu broblem parcio ar y pafin. Mae ganddyn nhw ymchwilydd newydd, mae'n amlwg. Doedd hi ddim yn fy nabod. Cyffro yn llais yr ymchwilydd wrth drafod y pwnc. Addo fy ffonio'n ôl. Yn ei chyffro, anghofio gofyn am fy rhif ffôn.

12.10pm. Fe'n dod adre' i ginio. Gobeithio dal Nanny'n bolaheulo mewn bicini? Mynd i gael siom. Nid yw Nanny'n bolaheulo bellach. Wedi callio ar ôl cael pregeth gennyf am beryglon cancr y croen. Fe'n cymryd oes i ddod at y drws.

"Wy' 'di dod i sorto'r goeden!" meddwn i. Roedd y fwyell 'da fi'n barod.

"Beth 'ych chi'n feddwl 'sorto'?" meddai fe.

"Ma' isie blingad go iawn arni."

"Ar 'y nghoeden i?"

"Ie. Mochyn o beth!"

"Yn 'y ngardd i?"

" 'Sdim isie i chi ddiolch i fi."

"Dim diolch."

"Beth?"

"Wy'n lico'r goeden yn gwmws fel mae hi!"

" 'Sdim amser 'da fi i ddadlau!" meddai fi. Ro'n i'n mynd i fod ar *Stondin Sulwyn*.

Yn ôl yn y tŷ, *Stondin Sulwyn* yn cwpla.

1.15pm. Cinio wrth fy nesg. Rhaid tynnu 'mys mas os wy'n mynd i gael yr agenda'n barod. Angen ei phostio â llaw. Mae'r cyfarfod am bump. Pwnc un – y goeden. Pwnc dau – parcio ar y pafin. Pwnc tri – baw ci.

2.30pm. Postio'r agenda. 'Sdim cacen o ots 'da fi os bydd Fe a Hi rhif 4 yn fy ngweld i. Caws caled! Dim agenda iddyn nhw. Cyn cael eich derbyn yn aelod o'r gymdeithas, mae'n rhaid ymddwyn fel aelod o'r gymdeithas.

Pam yn y byd mae Miss a Syr rhif 6 yn trafferthu cael papur? Dyw e byth yn cyrraedd cyn iddyn nhw adael y tŷ. Ai'r *Sun* oedd yn cuddio o dan *Golwg*?

Cyrraedd rhif 7 yr un pryd â'r nyrs. Mae'n galw bob dydd. Y llynedd, fe gafodd hon dŷ bach newydd i lawr staer. Gostiodd e grocbris. Gwastraff arian! Mae un yn ddigon yn 'tŷ ni ac mae dau ohonon ni! Y tŷ bach fel newydd. Fawr o alw amdano – nawr bod ganddi'r bag.

Ddoe, daeth menyw i weld rhif 8. Plentyn ganddi. Gobeithio i Dduw nad mam sengl oedd hi. Nodyn. Cofio gofyn heno.

Cnocio ar ddrws Gweddw Pugh rhif 3 am gantoedd cyn cael ateb. Ro'n i'n gwybod bod cryd cymalau yn ei phoeni ond bydde crwban cloff yn agor y drws yn gynt.

"O'r diwedd!" meddwn i. "O'n i'n dachre meddwl y'ch bod chi mas yn galifantan!"

Cynigiodd ddysgled i mi. Doedd dim amser 'da fi. Trefniadau heno. Gweddw Pugh sy'n 'sgrifennu'r cofnodion. Mae'r coesau'n capwt ond mae'r dwylo'n ystwyth fel dwylo plentyn. Er, mae'n drysu os yw pethau'n poethi a phobl yn siarad ar draws ei gilydd. Pethau'n poethi a phobl yn siarad ar draws ei gilydd bob tro.

"Well i chi ddachre cerdded draw yn ddigon cynnar," meddwn i. " 'Chi'n gw'bod mor hir gym'roch chi'r tro d'wetha'. O'n i byti galw'r heddlu!"

"O ma'n flin 'da fi, Mr Jâms bach, ond alla' i fyth â dod heno. Ma' John, y mab, yn galw."

"Gwedwch wrtho fe am alw rywbryd 'to."

"Ond ma' fe'n dod o Gaint."

"R'yn ni'n ffodus iawn er lles y stryd nad yw pawb mor ddifater â chi!"

"Mae'n flin 'da fi," meddai hi.

Os oedd hi mor flin, beth oedd y wên ddwl 'na ar ei gwep?

Postio'r unig lythyr yn yr iaith fain yn rhif 2. 'Dyn nhw ddim yn siarad gair o Gymraeg. Ond heblaw am hynny, maen nhw'n hen bobl iawn.

Y parsel wedi diflannu o gyntedd rhif 1. Y trydydd parsel yr wythnos 'ma. Blincin catalogs. Allech chi feddwl eu bod nhw'n graig o arian. Ond saer yw e ac mae hi'n gweithio mewn siop. Trwch o chwyn yn y gwely blodau. Nodyn i gynnig benthyg y fwyell.

Cerdded i lawr at y blwch post gyda'r llythyr i'r *Journal* – mewn da bryd ar gyfer rhifyn wythnos nesa'. Nodyn. Prynu dau gopi.

3.45pm. Yn ôl i gael paned yn fy nghôl. Ailddangos *Police, Camera, Action* ar y teledu. Rex yn dawel. Da. Ci Drwg yn dawel. Dwbl da!

4.15pm. O flaen y drych, ymarfer ar gyfer heno. "Mae'n flin iawn gen i ddod â mater difrifol iawn ger eich bron parthed ymddygiad cwbl annerbyniol yn y stryd. Fel y dywedodd un gŵr doeth, 'Cymdogion. Mae angen cymdogion da ar bawb.' Gyda thamaid bach o ddealltwriaeth, fe allwn ni wneud y lle'n un gwell..."

4.30pm. Y wraig gartref. Golwg welw arni.

"Beth wyt ti'n dda 'ma'r amser hyn?" meddwn i. "A ble ma'r car?"

Tost neu beidio, roedd hi'n gwybod ei bod hi ar fai. Fuodd hi oes cyn ateb. "Tu fas."

"Ar y pafin?... 'Stedda am funed, wedyn cera i'w symud e!"

"Pan ddysgi di ddreifo alli di'i symud e dy hunan!" meddai hi.

" 'Sdim lot o hwyl 'ma, o's e? Well i ti siapo dy stwmps gwgyrl! Ti sy'n 'sgrifennu'r cofnodion heno. Ma'r cyfarfod am bump."

Hi drws nesa'n ôl. Ei bola hi'n fawr yn y ffrog laes.

"Gobeithio nag yw hi'n disgwl eto!"

Nodyn. Rhaid gofyn iddi. Mae meddwl am y posibilrwydd yn dod â dagrau i lygaid y wraig.

"Gredi di fyth! Ma' drws nesa'n siarad â'r blincin heddlu!" Rhywun wedi gwneud cwyn amdanyn nhw siŵr o fod. Nid y fi'r tro 'ma.

"'Stedda am funed, Harri, wy' moyn siarad â ti," meddai'r wraig.

4.55pm. Fydd rhaid i fi gwpla hwn nes 'mlaen, mae rhywun wrth y drws.

Wynebau

ROEDD HI WEDI DWEUD o'r cychwyn nad oedd hi eisiau 'nôl y tships. Crynai'r gwydryn wrth i fysedd sosej Marilyn ei gofleidio. Caeodd ddrws y cwpwrdd llestri â chlep o gynddaredd a dal cip arni hi ei hun yn y drws gwydr. Roedd ei chwrls naturiol wedi cwympo'n nyth cacwn llipa yn ei seithfed blwydd a deugain. Ond yng nghanol yr wyneb crwn oedd wedi chwyddo fel twrci adeg Nadolig, roedd Marilyn ei hugeiniau yn atgof creulon. Trodd i ffwrdd mewn atgasedd.

Tships! Onid oedd hi wastad wedi rhoi bwyd iawn ar y bwrdd, bwyd wedi ei goginio ganddi hi ei hun? A hithau ar ei mwyaf blinedig, roedd hi'n dal i'w llusgo ei hun o'r lolfa i'r gegin a chynnau'r ffwrn i swper. Roedd hi wedi ystyried hynny'n ddyletswydd ganddi erioed, fel yr unig fenyw mewn teulu o dri. Hyd yn oed yn ystod yr wythnos pan oedd yr arolygwyr yn yr ysgol, a hithau hyd ei cheseiliau mewn taflenni gwaith a gwaith marcio, ddaeth yr un pryd ar glud i'r tŷ.

Ond roedden nhw eisiau rhoi seibiant iddi, medden nhw. Ei sbwylio ar nos Wener ar ôl wythnos galed yn y gwaith. Doedd hi erioed wedi clywed ffasiwn beth. Yn ystod ugain mlynedd o olchi a smwddio eu dillad, dwstio a hwfro'n ddyddiol, glanhau'r toiled a chadw'r lle fel pìn mewn papur, rhag ofn i rywun alw'n ddisymwth, doedd yr un ohonyn nhw wedi codi bys. Llenwodd lond ei cheg â sudd, cymaint ag y gallai heb gyfogi, a theimlo ei llygaid yn dyfrhau oherwydd y blas brathog. Onid oedd hi'n gweithio'n galed bob wythnos? Ond roedd yna dŷ i'w gadw ar ben y gwaith hwnnw. Doedd hi ddim am i neb eu cyhuddo nhw o fyw mewn twlc mochyn – ar ben pob cyhuddiad arall. Trawodd y gwydryn ar y bwrdd â bang.

"Plis, Mam! Fydd dim isie i chi 'neud swper," plediodd Rhodri, a'i lygaid yn fawr fel wyau.

Yn ei edrychiad gwelai Marilyn Rhodri ei blentyndod a theimlodd ei chalon yn meddalu. Yn y dyddiau pell yn ôl hynny, ac yntau yn ei glytiau, gwnâi neb y tro ond Mam. At Mam y deuai ar ôl iddo gwympo wrth chwarae neu ar ôl i Miss ddweud y drefn wrtho. Y dyddiau hyn, roedd y ddau fel dau ddieithryn, yn ofni torri gair â'i gilydd, Rhodri yn ofni i eiriau miniog ei fam ei dorri fel cyllell, a Marilyn yn ofni cael ei hanwybyddu – y boen eithaf.

"Meddwl safio tam' bach 'not ti o'n ni'n dou," mentrodd Len. "Wyt ti siŵr o fod 'di blino."

"So 'ny'n ddim byd newydd!" hisiodd Marilyn. "Ond so chi erio'd 'di bod heb swper."

"'Na setlo pethe 'te. Tships amdani."

"Ye-es!" Ciciodd Rhodri bêl rygbi ddychmygol gyda'i droed orau.

Caeodd Marilyn ei llygaid yn stribedi cul, caled a llygadu'r ddau'n ddrwgdybus. "Achos 'mod i 'di blino, y peth d'wetha' wy' moyn 'neud yw mynd 'nôl miwn i'r car 'na 'to!" Llyncodd ragor o'r oren yn swnllyd.

Roedd y gwydryn yn wag a symudodd Marilyn at yr oergell. Cerddai'n araf, fel petai'n camu ar y lleuad. Wrth estyn y botel, teimlodd y plastig yn toddi fel clai rhwng ei bysedd a syrthio i'r llawr. Am eiliad, rhewodd pob un ac edrych o un i'r llall, yn llonydd fel mewn llun. Rhodri oedd y cyntaf i symud, a'i gorff cryf, blaenasgellwr yn plygu'n chwim i nôl y botel. Teimlai Marilyn bob aelod o'i chorff wedi eu rhewi'n gorn gan ofn. Gwnaeth ymdrech i chwerthin ond roedd y sŵn yn fwy fel sgrech.

"Henaint, ni ddaw 'i hunan!"

Roedd dau bâr o lygaid yn syllu arni'n amheus.

"Gronda, Rhodri, falle bydde dy Dad yn fodlon mynd i 'nôl y tships."

* * *

"Whilo swper wyt ti?"

Sgwlcai Len yn y cyntedd, yn gwylio, trwy gil y drws, ei wraig yn llenwi gwydryn â sudd. Crymai ei ben hyd ei frest, fel bachgen ysgol yn aros ei gosb y tu allan i 'stafell y brifathrawes. Gallai Marilyn weld coron foel ei ben yn dod i'r golwg rhwng y llwyd wallt tenau.

"Man a man i ti ddod miwn. Wy'n gallu dy weld ti'n iawn, yn cwato fan'na fel llygoden."

Gwthiodd Len y drws yn swil. Roedd pob gwich yn peri i Marilyn grebachu ei hwyneb yn belen o grychau. "Wy' moyn ymddiheuro," sibrydodd Len gan wthio'i sbectol 'nôl i dop ei drwyn yn hunanymwybodol.

"Hy!" meddai Marilyn yn sbeitlyd, yn benderfynol o odro'r sefyllfa.

"Wy' mewn cyment o benbleth â thi. Wy' 'di bod yn crafu 'mhen yn treial meddwl shwt alle hyn 'di digwydd."

"Paid â dachre!" gwaeddodd Marilyn gan anelu ei geiriau fel bwledi.

"Ond Marilyn, sa i'n gallu dyall y peth o gwbwl…"

"Fel record. Wy' 'di clywed digon o esgusodion llipa lawr yn y stesion."

"Dim ond hanner ges i. Wir i ti."

"Dim yn ôl yr heddlu, Len. Stori wahanol o'dd 'da'u *breathalyser* nhw." Curai calon Marilyn yn galetach gyda phob gair.

" 'Na beth wy'n ffaelu 'i ddyall. Ti'n gw'bod cystal â fi, sa i'n twtsh yn y stwff pan wy'n gw'itho. Ges i hanner o wherw 'da cino, 'na i gyd. Dim ond i gadw cwmni i'r bòs..."

"O ca' dy ben, 'nei di!" sgrechiodd a chodi ei llaw fel petai am daro ei gŵr. "Fyddi di'n colli dy waith, wrth gwrs. Ond sa i'n becso taten ymbyti 'ny. Allet ti 'di lladd rhywun! Beth fydde pobol 'di gweud wedyn!"

Roedd eu henw da fel teulu wedi glanio yn y baw a'r llaca go iawn y tro hwn. Teimlai Marilyn yn sâl wrth feddwl am y peth. Byddai'r hanes yn dew yn y papurau. Rep i gwmni lleol yn colli ei drwydded. O'r gwarth! Welen nhw mohoni hi'n agos at y capel nes eu bod nhw wedi dod o hyd i sgandal newydd i gloncan amdani. Dyn a ŵyr bod yna ddigon o siarad ar ôl y ffiasgo yn yr ysgol. Roedd un cysur. Nid y hi oedd ar fai y tro hwn.

"Beth wedith y bòs nawr'te? Fyddwch chi ddim yn rhannu ciniawe am sbel fowr, sbo."

" Wy' 'di bod yn was ffyddlon i'r cwmni ers pymtheng mlynedd. Ma'n nhw'n siŵr o ffindo gwaith i fi yn y swyddfa. Dros dro."

"Ca'l dy garcharu rhwng peder wal o fore gwyn tan nos. Ei di off dy ben!"

A'i gorff naw a deugain yn flinedig, eisteddodd Len wrth y ford ac amneidio ar Marilyn i ymuno ag e. Siglodd hithau ei phen yn styfnig.

"Falle bydde newid bach yn 'neud byd o les i fi.

Wy'n mynd yn rhy hen i fod yn gyrru rownd y wlad fel ffŵl, yn treial cwrdd â rhyw dargede afresymol." Mentrodd roi ei fraich amdani, yn awyddus, fel arfer, i gymodi. "Cwpwl o fiso'dd fydde fe."

"Miso'dd? So ti'n gall!" Siglodd Marilyn ei law esgyrnog oddi arni fel petai'n darantwla oedd wedi glanio ar ei hysgwydd. "Wyt ti'n byw mewn breuddwyd, ddyn. Gei di'r sac! Fydd hi'n ta-ta wedyn ar 'yn ymddeoliad cynnar i!"

Pwy ond hi fyddai'r testun siarad bob amser brêc? Ambell un, efallai, yn mynegi ei gydymdeimlad. Ond y rhan fwyaf yn dweud dim, dim ond hel bwganod am broblemau yfed y tu ôl i'w chefn. Hithau, wedyn, yn synhwyro'r tawelwch llethol wrth iddi gau drws 'stafell yr athrawon y tu ôl iddi.

A beth am y plant wedyn? Fc fyddai'r stori'n siŵr o ledu fel tân gwyllt yn eu plith, ar ôl clywed pob manylyn cywilyddus gan eu rhieni. Roedd hi'n ddigon anodd cadw trefn yn y 'stafell ddosbarth fel roedd hi. Ni châi lonydd o gwbl nawr rhag eu jôcs plentynnaidd. 'Pam nag yw Mrs Rogers yn aelod o'r RAC? Am fod yn well ganddi'r AA. Pam mae Mrs Rogers yn hoffi Bioleg? Am ei bod hi'n dwlu ar *gin-etics*'. Roedd ei gŵr wedi cael ei ddal yn yfed a gyrru. Mae'n rhaid felly ei fod yn alcoholic. Dyna fyddai pawb yn ei feddwl. A chyn hir byddai pobl yn siŵr o ddechrau pardduo ei henw da hithau â'r un celwyddau.

Roedd yna un neu ddau a oedd yn amau'n barod wrth gwrs, ar ôl y ddamwain fach yna'r tymor diwethaf. Roedd Mr Daniels, y Prifathro, chwarae teg iddo, wedi addo cadw'r peth yn dawel, ar yr amod mai hwnnw oedd y tro olaf. Ond roedd hi'n ei thwyllo ei hun wrth gredu na fyddai rhywun yn gadael y gath o'r cwd. Wedi'r cwbl, roedd yna dros ddeg ar hugain o dystion i'r digwyddiad.

Yn ei grynswth, roedd y diwrnod hwnnw'n dipyn o benbleth i Marilyn. Ond roedd yna rai pethau, y pethau oedd wedi achosi'r mwyaf o embaras iddi, yn glir fel y grisial yn ei chof. Yr organau atgynhyrchu dynol oedd pwnc y dydd i fod a dosbarth 9C oedd y disgyblion. Er bod Marilyn yn ddigon cyfforddus â'r organau rhywiol ym mhreifatrwydd ei 'stafell wely, roedd cyflwyno'r pwnc i ddosbarth anystywallt yn mynd â hi'n ôl i ddyddiau diniwed ei glaslencyndod. Roedd e'n waeth hyd yn oed na dysgu'r pennau bach yna yn y chweched, a oedd yn credu bod ganddyn nhw gymaint o hawl i brofi gwybodaeth Miss ag yr oedd gan Miss i brofi eu gwybodaeth hwythau.

Erbyn bore dydd Mawrth, roedd Marilyn yn sebon o chwys. Ben bore, roedd wedi perswadio Len i ffonio'r ysgol i'w rhybuddio na fyddai i mewn tan amser cinio. A Len ar ei ffordd i'r gwaith, yfodd whisgi i'w helpu i godi o'r gwely, un arall yn lle brecwast a thrydydd i sythu ei dwylo ddigon i'w galluogi i fentro mas yn y car.

Cafodd gwmni Jack Daniels yn y 'stafell stoc amser cinio. Erbyn i 9C ruthro'n swnllyd i'w seddau doedd Marilyn ddim yn cofio'r gwahaniaeth rhwng cocci a chociau ac roedd pen tost dychmygol peth cynta'r bore wedi datblygu'n ben tost go iawn. Penderfynodd y câi'r dosbarth ddarllen yn dawel o'u llyfrau gosod. Nid oedd yn credu y gallai agor ei cheg heb chwydu cawdel o eiriau bloesg a phenderfynodd y byddai'n 'sgrifennu'r cyfarwydd-iadau ar y bwrdd du. Estynnodd am ddarn o sialc o'i chardigan a chael cymaint o drafferth yn cael ei llaw yn rhydd o'r we wlân nes iddi anghofio'n llwyr bod yna lwyfan o'i blaen. Cerddodd i mewn iddo'n glatsh, ac wedi ffwndro, baglu am yn ôl a glanio ar ei phen-ôl, â'i phenelinoedd mewn dau gôl ifanc, anffortunus.

Doedd dim i'w wneud ond twyllo'r Prifathro. Roedd hi'n iawn, fel y boi, meddai wrtho'n flin, ar ôl iddo gael ei alw gan Mr Dodd, gwaith coed. Roedd hwnnw wedi clywed y twrw ac wedi methu â chodi pedair stôn ar ddeg Marilyn ar ei ben ei hun.

" 'Sdim isie'r holl ffys 'ma. Dim ond cwmpo 'nes i ddyn. Alle fe ddigwydd i rywun."

Roedd e'n ffysian fel hen fenyw oedd wedi bod ar ei phen ei hun yn rhy hir. "Fydden ni i gyd yn dawelach ein meddwl 'sech chi'n gadel i nyrs ga'l golwg 'noch chi."

"Chi'n blincin fyddar, fenyw? Wy'n olreit!"

Sadiodd y nyrs ifanc ei hun ar ei bigyrnau cadarn ar ôl osgoi'r rhaeadr o boer oedd wedi tasgu o geg Mrs Rogers. Anadlodd yn ddwfn a throdd at y Prifathro. "Ody'r claf wedi ca'l diferyn at y sioc, syr?"

"Na, dim byd."

"Wel, ma' gwynt whisgi cryf ar ei hanal."

Roedd Mrs Rogers wedi cwympo ar ei thin o flaen dosbarth 9C oherwydd ei bod hi wedi meddwi'n gaib ar Jack Daniels. Roedd yn rhaid byw gyda'r cyhuddiad hwnnw'n disgleirio ym mhob llygad, yn ogystal â phwysau'r diffyg diddordeb yn ei hoff bwnc. Yn y coleg, roedd hi wedi byw a bod Bioleg ac roedd hi ar dân am rannu ei diddordeb gyda phobl ifanc. Buan iawn y gwelodd nad oedd gan y diawliaid bach ronyn o ddiddordeb mewn dysgu, dim diddordeb mewn dim. Gallech chi wneud eich gorau glas i gynnau gwreichion eu dychymyg ond allech chi ddim â'u hatal rhag chwydu'r cyfan 'nôl heb amsugno gair. Byddai traw eich llais yn codi, nes eich bod chi'n sgrechian i glywed eich hun uwch berw'r sgwrs am *Eastenders* ac Oasis.

Dysgu, cynlluniau gwersi, marcio, targedau, cwricwlwm, rhieni – ac ar ben y cwbl y blwmin tablau ysgolion! Deuai adref o'r capel ar bigau'r drain yn gwybod bod bore Llun bob amser yn dilyn dydd Sul. Yn ei gwely, yn crynu fel deigryn, cyfrai'r oriau di-gwsg tan amser codi. Llymaid o sieri oedd ei angen arni, hwnnw roedd hi'n ei gadw i goginio *stir-fry*. Llwnc gyda'r nos i ymlacio ac un arall ben bore i gael nerth i adael y tŷ. Yr wythnosau'n mynd heibio ac erbyn hanner tymor angen dau sieri yn lle un. Sieri'n troi'n whisgi ac yfed i godi gwên yn troi'n yfed i deimlo'n normal.

* * *

Twtiodd ei gwallt yn awtomatig wrth glywed drws y gegin yn agor. "Rhodri!" gwaeddodd yn serchog.

"O's bara 'ma? Wy'n starfo!" Aeth Rhodri'n syth at y bin bara a gafael yng nghynffon y dorth.

"Wna' i e, bach." Agorodd Marilyn y drôr cyllyll a ffyrc a mynd ati i chwilota'n swnllyd am y gyllell fara. "Ble gythrel ma' honna?" Canai'r cytleri fel côr amhersain wrth iddi ei daflu yn ôl ac ymlaen. "Aaaw!" Yn sydyn, torrodd ei bys yn erbyn min y gyllell. Yr un mor sydyn, roedd Rhodri wedi diflannu trwy'r drws. "Rhodri!" gwaeddodd Marilyn ar ei ôl.

"Gad e fod!"

"Nage fi sy 'di ypseto fe'r tro 'ma!" sgrechiodd yn uwch nag roedd angen, yn benderfynol bod Rhodri'n ei chlywed. Sylwodd ar Len yn gwingo. "Ma'r rhod 'di troi, Len bach. Wy 'di goffod grondo 'not ti'n pregethu ganweth!"

"Dim pregethu. Treial dy helpu di."

Gwyliodd Marilyn ei gŵr yn symud fel cysgod o gwmpas y gegin, yn clirio'r llestri brecwast oddi ar y sinc a'u rhoi nhw'n daclus yn y cwpwrdd, yn arllwys dŵr twym i'r basn ac ychwanegu diferyn o Fairy Liquid, yn cydio mewn dau gwpan coffi brwnt o'r ford a'u plymio i'r dŵr. 'Nôl wedyn a chydio yng ngwydryn gwag Marilyn.

"Sa i 'di cwpla 'da hwnna! Wy'n sychedig iawn heno."

"Beth am ddyshgled?"

" 'Sdim byd cryfach 'da ti sbo."

" 'Ti'n gw'bod dy fod ti ar y wagon, Mar."

"Jôc! Dyn a ŵyr bod un yn y teulu sy'n ffaelu dala'i ddiod yn fwy na digon!"

Roedd hi'n rhy hwyr i Marilyn dynnu ei geiriau'n ôl. Synhwyrai eisoes bod golau coch yn fflachio ym mhen Len.

Roedd e mor ddrwgdybus ohoni, dyna'r drwg, yn hofran uwch ei phen fel cwmwl. Ail-lenwodd y gwydryn a thaflu'r sudd i'w cheg. Gwagiodd hanner yr hylif yn syth. Petai ond yn dangos ychydig bach o ffydd ynddi. Cwtshodd y gwydryn yn erbyn ei brest fel petai'n magu baban. Po fwyaf y swniai Len fel olwyn dro, po fwyaf y blysiai am ryw ddwbl bach i dawelu'r amheuon am ei methiant fel athrawes, fel gwraig, fel mam.

Roedd Len yn ei ffansïo'i hun yn dipyn o breifat ditectif. Petai ganddo got law byddai'n Columbo go iawn â'i gorff bach tew a'i gwestiynau ffug-ddiniwed yn tyrchu am y gwir. Pan addawodd hi roi'r gorau i'r ddiod am y tro cyntaf, roedd wedi mynd trwy'r tŷ â chrib fân yn fferetian am boteli. Roedd e'n drylwyr iawn, chwarae teg, ac wedi ffeindio'r jin wedi ei lapio mewn hen fra yng nghefn y drôr dillad isaf a'r whisgi ym mhlygiadau ei ffrog briodas. Roedd e hyd yn oed wedi darganfod y gegaid o jin yn y cwpanau ynghrog ar ddreser Mam-gu. Fe'i gorfodwyd i arllwys diod dda i lawr y sinc a chofiai osod ei llaw yn gadarn ar y cwpwrdd, yn ei dal ei hun 'nôl rhag neidio ar ôl y ddiod wrth iddi chwyrlïo o'r golwg.

Trueni nad oedd ei ddiddordeb sydyn mewn gwaith ditectif wedi datblygu ymhellach – at yr adran fforensig efallai. Byddai ganddo obaith wedyn o ddal Marilyn. Dibynnai Len yn gyfan gwbl ar ei synhwyrau – ei drwyn i wynto'i hanadl a'i lygaid i chwilio am boteli hanner gwag ac i gadw llygad barcud ar ei hymddygiad. Ond roedd Marilyn eisoes gam o'i flaen. Roedd hi wedi dechrau yfed diod nad oedd yn gweiddi am sylw gyda'i flas na'i oglau cryf. Fodca.

Wrth fwyta ei brecwast yn bwdlyd un bore – yn rhegi'n dawel bach nad oedd yna ddim byd cryfach na sudd oren i'w yfed – roedd hi wedi taro ar y syniad. Gallai brynu potel o sudd oren o Tesco, tywallt ei hanner i lawr y sinc a'i hail-lenwi i'r brig â fodca. Byddai ei chyfrinach hi'n saff. Roedd orenau'n rhoi pen tost i Rhodri ac roedd Len yn cael ei frecwast yn y gwasanaethau ar y draffordd. Gallai gadw pob diferyn iddi hi ei hun.

Ym mhen draw'r gegin, a oedd i lygaid Marilyn yn prysur ddiflannu mewn niwl trwchus, roedd Len wrth y sinc yn golchi ei focs bwyd. Oherwydd ei fod wedi cael cinio gyda'r bòs, doedd e ddim wedi bwyta'i frechdanau. Roedd wedi gosod y rheini naill ochr ar blât er mwyn eu bwyta wedyn, tybiai Marilyn, yn lle'r tships nad oedden nhw ddim wedi eu cael oherwydd iddyn nhw gael stop gan yr heddlu.

"Ti 'di cwpla?" gofynnodd. Roedd e'n fwy chwim na Marilyn y tro hwn a gafaelodd yn y gwydr cyn iddi gael cyfle i'w achub o'i grafangau.

"Megis dachre, Len bach," meddai hithau.

Gollyngodd Len y gwydr ar y bwrdd ond nid heb ei estyn hyd ei ffroenau a snwffian yn ddwfn. Syllodd ar ei wraig fel petai'n treiddio i fêr ei hesgyrn.

Cafodd Marilyn bwl o chwerthin wrth weld ei gŵr yn ei ffedog, honno â'r ffrilen roedd ei hanti wedi ei phrynu iddi ryw Nadolig, yn prysur dywallt cynnwys y fflasg i lawr y sinc. "Rhy hwyr i wared y dystioleth nawr Len bach! Wyt ti wedi ca'l dy ddal â gwa'd ar dy ddwylo!" Roedd Marilyn yn gweiddi, er bod sŵn hollol naturiol i'r llais a glywai hi. "Fi yw'r ditectif heddi. Ti 'di bod yn llanw'r fflasg 'ma bob bore... 'da whisgi! Man a man i ti gyfadde'r gwir. Wy'n wraig i ti. Ma' 'da ti broblem yfed!"

Edrychodd Len arni ac ochneidio'n amyneddgar. Roedd profiad y blynyddoedd diwethaf wedi ei ddysgu na fyddai damaid gwell o golli ei dymer â Marilyn. "Dere draw fan hyn i wynto'r fflasg 'te. Dere mla'n! Ma' peth ar ôl ar y gwaelod. Sa i'n becso beth wyt ti na'r glas na neb yn 'weud, 'sdim byd cryfach yn y fflasg 'ma na sudd oren o'r ffrij."

Mr a Mrs

JÔC OEDD HI i ddechrau. Efallai. Hwyrach hefyd fod y ddau ohonyn nhw o ddifri o'r funud gyntaf honno. Dim ond eu bod nhw'n cymryd arnyn nhw mai ffantasi oedd y cwbl, chwarae plant bach, os liciwch chi. Roedd hynny'n cynnig esgus da dros drafod y peth ac yn ddiweddarach dros gynllunio, llenwi'r bylchau heb deimlo ias o gywilydd eu bod nhw, blant bach yr Ysgol Sul, yn ystyried y fath beth. Cellwair chwerthin am ryw syniad dros ben llestri er mwyn peidio â theimlo eu bod nhw'n gwneud dim byd anghyfreithlon. Dim eto, beth bynnag.

Ar y cychwyn, fe allen nhw ffugio mai chwarae roedden nhw, fel yr oedden nhw'n chwarae ar fod yn Mr a Mrs er eu bod nhw'n briod ers dros flwyddyn. Gallai Mrs Jones gyfiawnhau pam nad oedd y celfi wedi teimlo mwythau clwtyn ers dros bythefnos. Doedd hi ddim yn wraig tŷ go iawn. A gallai Mr Jones fflyrtio gyda'r bêb-syth-mas-o-Goleg-Bangor yna yn y gwaith, duwies mewn sgert fini oedd yn chwerthin am ei jôcs ac yn gwneud iddo deimlo fel un o'r bechgyn unwaith eto.

A dyna ble roedden nhw, yn y gwely. Ac roedd hi'n ddydd Sul a hwythau'n bwrw at y gorchwyl wythnosol. Unwaith yr wythnos oedd hi bellach. Roedden nhw'n byw i weithio a thalu'r morgais a phob pigyn o adrenalin y nwyd cynnar, a fyddai'n eu cadw ar ddihun yn caru nes codiad haul, wedi hen fynd i'r gwynt. Yn ystod yr wythnos, ro'n nhw fel clytiau llestri, a'r gwaith wedi eu gwasgu'n sych o bob diferyn o ynni. Ar ddydd Sadwrn eisteddai'r ddau fel tatws soffa yn syllu'n ddall ar y blwch lluniau yn y gornel. Dim ond ar ddydd Sul, a hwythau'n teimlo'n hanner normal, y byddai Mr Jones yn ei chusanu â chusan wlyb, geg-agored a hithau, wedyn, yn rhoi ei llaw am ei gopis a dechrau anwesu'n obeithiol.

"Os alli di enwi'r ffilm dd'wetha' welon ni yn y sinema, gei di lonydd. Wy'n addo pido â sôn am y peth fyth 'to," meddai Mrs Jones a oedd yn dal i allu lapio'i gŵr o gwmpas ei bys bach yn y munudau nwydwyllt cyn rhyddhad y caru. Roedd yn dal i anwesu'r lwmp yn ei jîns ac yn siomedig yn ei feddalwch ond nid yn ei faint.

"Y... O, nagwy'n gwpod...! Wel, gweta 'tha i 'te!" meddai Mr Jones yn ddiamynedd. "Gyda llaw, cariad, neished yw hwnna. Treia'r boced arall."

" 'Na'r peth ontefe? Nagwy'n cofio chwaith. Ond nagwy'n cretu bod dou fis ers i ni weld y blincin ffilm." Yn garedig, symudodd ei llaw.

"Llai na 'ny siŵr o fod. O'n ni ar 'yn ffordd sha thre o de parti Mam-gu..."

"Na! O'n ni 'di bod yn siopa yng Nghaerdydd."

"O'dd Sharon Stone yn'o fe. Wy'n cofio cymaint â 'ny," meddai Mr Jones gan lyfu'i wefusau. Yn ddiseremoni, gwthiodd ei ddwylo i lawr crys ei wraig a dechrau tynnu ar ei thethi.

Oedd rhaid bod mor gas? meddyliodd hithau. Cnodd ei glust yn ffyrnig a chwerthin pan glywodd yr 'aw' oddi wrth ei gŵr. "Ffilm ore'r flwyddyn wetws di," a thynnodd ei nicers. "A nawr nagwyt ti'n cofio'i henw hi."

Petai'n gallu gweld rownd y cornel nesaf i mewn i heol fawr bywyd y dyfodol, hwyrach y byddai wedi bod yn fwy gofalus ac wedi gorfodi Mr Jones i wisgo condom dim ots faint roedd e'n eu casáu.

Roedd hi wedi bod yn meddwl am y peth ers tro. Ac roedd hi'n dechrau cynhyrfu. Roedden nhw fel petaen nhw'n byw eu bywydau mewn niwl trwchus oedd yn amgylchynu'r pen a byth yn clirio'n iawn. Roedd y naill a'r llall ar goll yn ei fywyd bach ei hun, ond yn hanner gwrando ar glonc ei gymar. Roedd pob sgwrs yn gawdel o hanner brawddegau gydag 'O?' a 'Mm...' diffyg diddordeb yn drwch.

Roedd profiad eu ffrind, Robert Jones, yn wers iddyn nhw ac yn well na llyfr testun neu ysgol brofiad. Heol unffordd oedd y gweithle. Roeddech chi'n rhoi a rhoi, fel petaech chi'n bwydo peiriant ceiniogau diwaelod. Yna, pan oedd ffynnon eich egni yn sych grimp a'ch dwylo'n rhy grynedig i fwydo'r geg fawr, farus, ro'n nhw'n eich cynghori i fynd adref i wella ac i beidio â brysio dod yn ôl. Un o'r disgleiriaf oedd Robert, hen ffrind coleg i Mr Jones, cyn i'w nerfau chwalu. A nawr roedd y cyn-reolwr cynorthwyol yn gaeth y tu ôl i'w ffenestri dwbl, fel y bu'n gaeth am flynyddoedd y tu ôl i ffenest y cownter yn y banc. Trigai ddau ddrws i lawr o dŷ Mr a Mrs Jones ac roedd gweld ei gysgod yn llechwra y tu ôl i darian y llenni yn atgof cyson bod yn rhaid rhoi byw o flaen bywyd.

Roedden nhw wedi ymdrechu i fyw bywyd cyfreithlon, fel yr oedd yn weddus i blant y dosbarth canol oedd wedi mwynhau holl freintiau teulu cefnogol ac addysg dda. Lefel 'A' ddisglair, gradd brifysgol a swyddi cyn y Nadolig cyntaf. Y cyfryngau iddi hi, byd busnes iddo fe. Y cyflogau cyntaf yn gyffredin ond cyfleoedd am ddyrchafiad yn ymestyn hyd eu breichiau o'u blaenau. Oedden, roedden nhw wedi ymdrechu. Ond pan giciodd rhyw fwli corfforaethol oddi uchod eu cestyll tywod i'r llawr doedden nhw ddim yn gwybod ble i droi. Roedd hyd yn oed y Loteri wedi methu â'u hachub. Roedden nhw'n bedair gwaith ar ddeg yn fwy tebygol o gael eu lladd gan fws. Roedd Mrs Jones wedi darllen hynny yn y *Sun*.

"Faint o arian fydde'n dy 'neud di'n hapus?" gofynnodd Mrs Jones gan godi'r cwrlid. Edrychodd Mr Jones arni. Roedd ei wyneb yn goch biws ar ôl yr ymdrech o geisio efelychu rhywbeth roedd wedi gweld Michael Douglas yn ei wneud i Sharon Stone yn *Basic Instinct*. Doedd Mrs Jones ddim hyd yn oed yn binc. Brad Pitt oedd y dyn iddi hi. "Nagwy'n siarad ymbyti taps aur yn y 'stafell folchi, na shandelïers grisial, na Prada newydd am bob dwarnod o'r flwyddyn. Ond dicon fel 'yn bod ni ddim yn hito ymbyti arian."

"Dicon i dalu'r bil ffôn a lectric, i dalu'r morgej i gyd, i dy gatw di mewn Brie a Chardonnay," meddai Mr Jones, a oedd wedi digalonni o dan y cwrlid. Roedd e'n gallu teimlo'r briw ar ei stumog yn cnoi ac roedd yn edifar ganddo yfed rhan orau'r botel whisgi yna neithiwr er mwyn ymlacio.

"Dicon i brynu llond côl yn Next heb dwmlo'n euog, i ga'l gwylie egsotig bob haf a cha'l menyw fach i gymoni."

"Dicon i 'weud wrth y bosys am stwffio'u swyddi jawl..." meddai Mr Jones gan becial.

"A jengid i Ffrainc a byw yn yr haul mewn *villa* ar lan y môr."

Mwythodd Mr Jones ei stumog boenus. " 'Sdim gopeth! 'Sdim dicon o arian yn y banc."

"Dim yn dy gownt di!" Cusanodd Mrs Jones ei stumog â'i thafod am hydoedd ac anghofiodd y ddau am y briw.

Hwyrach eich bod chi'n credu y dylai Mrs Jones fod yn fodlon ar ei byd, yn falch hyd yn oed. Onid oedd hi wedi glanio ar ei thraed? Swydd yn y cyfryngau, gweithio i gwmni teledu ar ddechrau'r chwyldro digidol. Doedd e ddim fel petai hi'n glanhau toiledau am geiniog a dimau. Swydd braf ar y trên grefi. Breuddwyd y myfyriwr israddedig.

Roedd hi wedi clywed y straeon am y ciniawau meddw, am ddiwrnodau'n dechrau am ddeg ac yn cwpla am dri, am dâl ychwanegol am weithio ar ôl pump a chodiadau cyflog ddwywaith y flwyddyn. Clywed amdanyn nhw fel am wlad yn diferu o laeth a mêl, yn ôl ymhell yn niwl hanes, gan yr ychydig rai oedd ar ôl yn gweddïo am gael ymddeol yn gynnar. Ond bellach, roedd angen arbed arian a thorri ar swyddi er bod yna fwy o waith i'w wneud. Ac roedd hi newydd glywed mai'r cytundeb yma fyddai ei chytundeb olaf.

Doedd hi ddim yn gwybod beth roedd hi'n mynd i'w wneud nawr. Dyma oedd ei breuddwyd ers gadael coleg. Fe allai hi ddechrau eto. Ond doedd ganddi mo'r galon na'r ynni i fod ar y rheng olaf wedi dringo mor uchel ar ysgol mor serth. Roedd hi am adael hynny i'r rhai oedd eto'n frwd ac yn naïf ac yn dal i gredu. Dyna sut y cyfiawnhâi'r peth iddi hi ei hun. Roedd y penderfyniad mas o'i dwylo...

Fe fyddai angen gwn. Mater bach fyddai cael gwn. Gwn ffug. Doedd hi ddim erioed wedi gweld gwn iawn heb sôn am ei ddal, heb sôn am ei saethu. Dyn a ŵyr ble y câi un o'r rheini. Er, os oeddech chi'n credu'r papurau, roedd hynny'n ddigon hawdd os oeddech chi'n nabod y bobl iawn. Yn anffodus, actorion, cyfarwyddwyr, pobl fusnes a chyfrifwyr oedd eu pobl nhw a doedd yna ddim un con, na chon diwygiedig ymhlith eu ffrindiau swpera.

Ond er mwyn gwneud y ffantasi'n gredadwy, byddai

angen gwn hyd yn oed mewn banc bach ar gyrion y dref fel banc Tawe. Byddai'n rhaid argyhoeddi'r lleill, y rheini na wyddent am y cynllun eto, eu bod nhw mewn perygl. Fydden nhw ddim yn nabod gwraig Mr Jones, fydden nhw ddim yn gwybod y byddai'n well gan epil y gymdeithas dosbarth canol Cymraeg saethu ei hun na saethu un ohonyn nhw.

Fe allai ddwyn y gwn oddi wrth Paul yn props. Beth oedd y pwynt dweud 'benthyg'? Os nad oedd ganddi'r galon i ddwyn gwn ffug oddi wrth y cwmni oedd ar fin ei rhoi ar y clwt, rhyw obaith mul oedd ganddi o weithredu'r cynllun. Gwnâi gwn ffug y tro'n iawn. Pwy, o blith y rhai a ddigwyddai fod yno, fyddai'n gwybod y gwahaniaeth rhwng gwn iawn a gwn oedd yn edrych yn ddigon dilys i dwyllo llygaid craff miloedd o wylwyr teledu? Yffach o neb. A hyd yn oed os oedd yna rywun, rhyw goc oen o'r clwb saethu oedd yn ffansïo ei fod yn gwybod y cwbl, neu ryw eisiau-bod-yn-Rambo ar wyliau o'r fyddin, a fydden nhw'n ddigon siŵr neu'n ddigon dewr neu'n ddigon chwim i weiddi 'rho'r tegan i lawr, ferch fach' gan wybod y gallen nhw fod yn gorwedd yn gelain ar y llawr mewn chwinciad?

Roedd Mrs Jones wedi cynhyrfu'n lân. Roedd meddwl am yr hyn roedden nhw ar fin ei wneud yn sythu'r blew ysgafn ar gefn ei gwddf, fel y gwnâi cusanau tyner Mr Jones. Prin yr oedd eisiau iddi wneud mwy na gwenu'n awgrymog arno y dyddiau hyn a byddai'n neidio o'i sedd ar y soffa a llamu arni'n frwdfrydig. Fel Bonnie a Clyde a'r *Natural Born Killers*. Roedd y ddau wedi eu huno gan fwy na nwyd yn unig. Roedden nhw'n rhan o'r un peth nawr, y ddau'n cynllunio, yn cynllwynio, yn tynnu ynghyd a'u golygon ar yr un freuddwyd, yn union fel yr oedd eu golygon unwaith ar blufio nyth, adeiladu gyrfa a magu teulu. Bellach, gwerthoedd yr hen fyd oedd y rheini.

Dyna pam roedd hi'n sefyll y tu fas i'r banc, a'i chot wlân hir yn cuddio'r sgert fach, y sodlau uchel a'r flows dynn dros fra llawn papur tŷ bach. Doedd hi ddim am dynnu sylw ati hi ei hun yn y stryd. Roedd ei hwyneb yn drwch o golur a'i gwallt wedi ei orfodi i steil ifanc gan ormod o gribo ac offer steilio. Y tu ôl i'r minlliw, gallai deimlo ei dannedd yn clecian. O fwriad, doedd hi ddim yn debyg iddi hi ei hun. Pan fyddai tystion yn ei disgrifio i'r heddlu fe fyddai pawb yn ei chofio ond neb yn ei chofio hi. Ond, o bellter, roedd hi'n ddigon tebyg i rywun arall.

Gwyliodd Mrs Jones y swyddogion diogelwch yn diflannu rownd y gornel, yn sicr eu meddyliau bod yr arian yn saff yn y coffrau yn ôl yr arfer. Hwyrach eu bod nhw eisoes wedi troi eu sylw at faterion eraill, y ddwy gôl yr oedd eu hangen ar Man U, efallai, i guro'r Brogaod yn rownd derfynol y cwpan heno. Dechreuodd gyfrif yn araf. Doedd hi ddim yn oer er mai bore o Dachwedd ydoedd, ond roedd hi'n crynu. Roedd hi'n falch mai blows dywyll oedd iwnifform y banc. Byddai'n cuddio'r cylchoedd o chwys oer oedd yn anghyfforddus o dan ei cheseiliau.

Pump ar hugain, chwech ar hugain... Y tu ôl i'r drws awtomatig, fe fyddai dau aelod o staff yn gweini'n syrffedus ar gynffon nadreddog o gwsmeriaid, a'u meddyliau eisoes ar y penwythnos er mai bore Llun oedd hi. Fel arfer, Miss 'Bêb' Ifans fyddai un ohonyn nhw, ond doedd hi ddim yn y gwaith y diwrnod hwnnw. Yn anghyfleus iawn i'r lleill, a'r Nadolig ar y trothwy, roedd ganddi wythnos o wyliau. Credai Mrs Jones eu bod nhw'n lwcus iawn o'r gweithwyr dros dro ar adegau prysur fel hyn.

Roedd y staff, fodd bynnag, yn disgwyl gweld Miss Ifans y bore hwnnw. Roedd hithau, neu rywun oedd yn swnio'n debyg iawn iddi, wedi ffonio'n gynharach. Yn Nhawe, roedd un Gog yn swnio'n debyg iawn i'r nesaf. Fe fyddai'n picio i mewn i 'nôl y compact yr oedd, mewn pwl o ddifaterwch, wedi ei adael yn ei desg.

Hanner cant... Doedd dim pwynt oedi. Roedd haid o siopwyr Nadolig cynnar wedi dechrau llenwi Stryd y Gwin ar eu ffordd o'r maes parcio i'r ganolfan siopa. Cymerodd eiliad i deimlo'r gwn yn oer a chysurlon yn erbyn ei chlun. Yna, anadlodd yn ddwfn cyn camu yn ei blaen yn hyderus.

Llond llaw yn unig oedd yn aros yn ddiamynedd ar lawr y banc. Ni throdd Mrs Jones i weld a oedd yna unrhyw un mawr neu gyhyrog yn eu plith. Dyna oedd y peryg mwyaf. Ni fyddai'r staff yn mentro peryglu bywydau trwy wneud rhywbeth byrbwyll, roedd hi'n eithaf saff o hynny. Fe'i gorfododd ei hun i ganolbwyntio a cherdded yn gyflym at y drws a'r arwydd 'Preifat' arno. Bwydodd y rhif i mewn i'r blwch ar y wal a gwthio'r drws ar agor. Oherwydd bod y ddau y tu ôl i'r cownter yn ei disgwyl, ni throdd y naill na'r llall i syllu arni. Roedd Miss Ifans frwd ar y dot fel arfer. Ni sylwodd yr un ohonyn nhw fod Miss Ifans fodfedd yn fyrrach nag arfer yn ei sodlau ac o leiaf hanner stôn yn drymach. Wrth ei ddesg yr oedd un o'r ddau oedd yn gweini. Roedd y llall ar ei liniau'n casglu darnau papur ugain yn frysiog oddi ar y llawr a threuliai'r cyntaf fwy o amser yn edrych arno dros ei ysgwydd nag a wnâi'n helpu cwsmeriaid.

Roedd Mrs Jones yn anadlu'n ddwfn erbyn hyn, fel cymeriad mewn ffilm bornograffig. Gwenodd wrth feddwl ei bod yn fwy tebygol o gael ei harestio am ymddwyn yn anweddus nag am ladrata. Cyn iddi newid ei meddwl, aeth at y dyn a dal y gwn yn erbyn ei ben. Cododd y glicied yn swnllyd a thorrodd y glec trwy'r aer fel bwled. Trodd pawb i syllu arni.

"Dwylo ar y cownter plis!" gorchmynnodd yn ddidaro. Roedd pob un, gan gynnwys y ddau yn y swyddfa cynllun agored y tu cefn, wedi rhewi'n gorn fel dynion eira. Roedden nhw wedi cael eu hyfforddi i wneud dim ac roedden nhw'n gwneud eu gwaith yn dda. Agorodd Mrs Jones ei chot a chwympodd y bag cynfas i'r llawr.

"Rho'r arian yn y bag!" cyfarthodd wrth y dyn ar y llawr. Eisteddai yntau ar ei gwrcwd, fel ci bach ufudd. "Bydd y person cynta' i ganu'r larwm yn canu cloch cnul y pishyn diflas 'ma fan hyn! Man a man y'ch bod chi wedi'i saethu fe y'ch hunan!"

Gwasgodd Mrs Jones y gwn yn galetach yn erbyn ei dalcen. Gwichiodd y dyn mewn ofn ond daliodd ati i bacio'r bag fel petai ei fywyd yn dibynnu arno. "Os bydd rhaid, fe whytha' i 'i frêns e'n glewt yn erbyn y wal."

Os oedd yna rywun wedi llwyddo i ganu'r larwm ar ei wregys neu o dan ei fwrdd roedd ganddi bum munud cyn i'r heddlu garlamu i lawr Heol y Dŵr i Stryd y Gwin. Edrychodd Mrs Jones i fyw llygaid y fenyw wrth ei hochr. Roedd hi'n gwylio'r gwn fel pe bai wedi ei hudo. Nodiodd yn ufudd fel llo. Ochr arall y gwydr, ar lawr y banc, roedd gwraig yn llefain.

"Pitwch saethu! Wna' i beth bynnag 'chi moyn," meddai'r paciwr. "Plis pitwch saethu! Ma' 'da fi wraig a babi ar y ffordd!" Roedd yn erfyn arni mewn llais *falsetto*. Diferai'r chwys oddi ar ei dalcen ac wrth iddo drin yr arian sylwodd fod ei ddwylo'n crynu fel dau granc mewn dŵr.

"Gnewch beth mae'n gweud, er mwyn Duw! Mae'n mynd i'n saethu i! Arian y banc yw e! Gatwch hi i fod!"

"Glywoch chi beth wetws e," arthiodd Mrs Jones. "Falle bod un neu ddou 'noch chi'n dishgwl arna' i ac yn meddwl, 'fyse merch neis fel'na ddim yn saethu neb'. Ond 'na fe ontefe? 'Na'r broblem sy 'da chi. Nag'ych chi'n 'y napod i a nag'ych chi'n gwpod otw i'n ferch fach neis neu'n llofrudd!" Roedd yr edrych cyson dros ei hysgwydd, i gadw llygad barcud ar bawb, yn dechrau rhoi pen tost iddi. "Nagwy'n cretu y'ch bod chi moyn mentro. Otych chi? Dim am gyflog dwy a dime neu'r wobr dda-i-ddim a gelech chi wrth y jawled tyn 'ma!"

Roedd y wraig wedi gorffen llefain. Safai pawb yn fud. Caeodd y dyn y zip ac atseiniodd y sŵn fel rhech drwy'r tawelwch.

"Ar dy dra'd," gorchmynnodd Mrs Jones. Edrychodd y dyn arni mewn penbleth.

"Ond... ond... wy' 'di 'neud beth wetoch chi," meddai gan godi yr un pryd. Roedd bron yn ei ddagrau.

"C'ua dy lap a charia'r bag at y drws! Nagwy' moyn neb yn 'neud dim byd dwl y tu ôl i 'nghefen i."

Brasgamodd y ddau trwy ddrws y swyddfa ac ar hyd llawr y banc at y brif fynedfa, y naill fel y llall yn edrych o'u cwmpas yn wyliadwrus. Agorodd y drws yn awtomatig a daliodd y dyn ei droed yn ei erbyn i'w gadw'n agored. Camodd Mrs Jones i'r awyr agored wysg ei chefn a rhoddodd yntau'r bag iddi'n foesgar. Am eiliad, cyfarfu llygaid y ddau. Gwgodd Mrs Jones arno'n flin a chipio'r bag oddi arno.

Unwaith y clywodd y drws yn cau y tu ôl iddi, nid oedodd Mrs Jones. Rhoddodd y gwn ym mhoced y got a rhedeg. Roedd y bag yn drwm ond roedd yr adrenalin yn pwmpio trwy ei gwythiennau fel cocên. Doedd hi ddim yn heini ac roedd hi'n falch bod y car rownd y gornel.

Fodd bynnag, teimlai'r car mor bell ag erioed y tro cyntaf iddi synhwyro'r peth. Y tro cyntaf iddi sylweddoli bod rhywun yn ei dilyn. Doedd dim angen iddo weiddi i'w rhybuddio. Roedd hi'n gwybod ei fod e yno. Yn yr un ffordd ag yr ydych chi'n gwybod bod yna rywun yn syllu arnoch ymhell cyn i chi droi i edrych i fyw ei lygaid. Wnaeth e ddim galw arni i stopio ac roedd hi'n ddiolchgar am hynny. Roedd cael un arwr ar ei chynffon yn ddigon gwael heb i un neu ddau arall o blith y siopwyr un ar ddeg y bore ymuno yn y ras. Am bob tip tap o'i sodlau, clywai glomp clomp ei esgidiau yntau'n atseinio fel adlais. Roedd e'n agosáu.

Wrth droi'r gornel ar ben y stryd, cafodd olwg arno yn ffenest siop David Evans. Teimlodd ryddhad nad aelod o'r heddlu oedd yno. Ond dim ond am ennyd. Roedd corff crwn y dyn ifanc o'r banc yn symud yn rhyfeddol o gyflym. Fe fyddai wedi ei dal pe na bai hi wedi cael y blaen arno.

Rownd y gornel, ac fe gafodd y cip cyntaf mewn hanner awr ar y car. Roedd dolen y bag yn torri i mewn i groen ei llaw. Ond doedd dim byd fel rhywun yn eich cwrso fel cysgod i'ch cadw chi i fynd nerth eich gwynt. Roedd hwn siŵr o fod wedi cael pwl o gydwybod. Dyna fyddai'r lleill yn ei feddwl. Go brin y byddai neb yn gweld bai arno am ei helpu gyda'r arian. Ond mae'n bosib y byddai un neu ddau yn teimlo nad oedd yn rhaid iddo fod mor anhygoel o lwfr. Roedd gan Mrs Jones le i ddiolch iddo. Roedd ei benderfyniad i'w chwrso siŵr o fod wedi cadw rhywun cyflymach neu gryfach rhag dod ar ei hôl. Byddai'r rheolwyr yn gallu eistedd ar eu tinau mawr yn gwbl fodlon eu byd bod yna un, o leiaf, yn ceisio achub y dydd. Hyd yn oed os oedd y rhywun hwnnw yn aelod o staff dros dro.

Roedd yn ddigon agos nawr i Mrs Jones glywed ei anadl trwm, herciog yn boddi ei hanadlu hithau. Petai ond yn gallu cyrraedd y car. Twriodd ym mhoced ei chot am yr allwedd. Fe fyddai'r car yn agor yn awtomatig, dim ond gwasgu'r botwm. Gallai danio'r injan a gwasgu ei throed yn erbyn y sbardun mewn eiliad. Anelodd yr allwedd a chlywed y chwiban cyfarwydd yn dynodi bod y car nawr ar agor. Golchodd y rhyddhad drosti mewn tonnau cynnes. Tynnodd ddwrn y drws a'i agor a thaflu'r bag a'i hunan i mewn i'r sedd. A'r allwedd yn ei lle, taniodd y car ar unwaith.

Bang! Neidiodd Mrs Jones o'i chroen. Roedd y dyn yn sefyll yn gadarn yn ffordd y car, yn taranu ar y boned gyda'i ddyrnau. Gwasgodd hithau'r sbardun yn fygythiol, fel llewpard yn rhuo'i ffyrnigrwydd. Camodd y dyn o'r neilltu a diflannu. Y funud nesaf clywodd Mrs Jones ddrws yn agor. Gwyliodd wrth i'r dyn ddisgyn yn swp yn y sedd drws nesaf, allan o wynt yn lân.

"Pam o't ti'n dishgwl arna 'i fel'na?" gofynnodd yn gyhuddgar.

"Beth o't ti'n ddishgwl 'chan!" meddai Mrs Jones yn groch. "Acor y blincin drws i fi fel'na! O'n i'n becso beth fyddet ti'n 'neud nesa'! Cynnig cario'r bag i'r car!" Trodd Mrs Jones drwyn y car i mewn i Stryd y Bont. Gyda thipyn bach o lwc byddai'r goleuadau traffig ar ben y stryd yn wyrdd.

"Paid â siarad yn ddwl! O'n nhw'n lawer rhy fishi'n becso ymbyti'r gwn 'na i ddishgwl beth o'n i'n 'neud â'r blincin drws! O'n nhw ond yn falch 'mod i wedi ca'l gwared 'not ti mor glou."

"Gob'itho mai ti'n sy'n iawn. Wy'n moyn boddi 'ngofitie miwn jin a thonic yn y maes awyr cyn 'u bod nhw'n dachre dy ame di."

"Gad 'nhw ame! Ble yffach ma'n nhw'n mynd i ddachre whilo amdana' i? Nag'yn nhw hyd yn o'd yn gwpod 'yn enw i!"

"A bwrw'r car fel'na wetyn," meddai Mrs Jones. Canodd y corn ar ddyn â het am ei ben mewn Aston Martin oedd yn gwneud llai na deng milltir ar hugain.

"Wyt ti moyn ca'l dy arestio? Byddi di'n y carchar glatsh am ddistyrbo'r heddwch! Nagwy'n gwpod wir! Yn ôl yn un naw saith naw enillais i fathotyn aur am fynd i'r Ysgol Sul yn amlach na neb." Trawodd y dyn gusan ar ei boch a rhoi ei law rhwng ei choesau.

"Www! Robert druan! Beth wyt ti'n cretu bydd e'n 'neud pan ddaw'r heddlu i'r drws?" gofynnodd Mrs Jones, yn toddi drwyddi.

" 'Sdim isie gofyn o's e! Dishgwl ar y teli ontefe! Run peth â phob dwarnod arall. Y jawl pwtwr!"

Roedd hi'n dawel ar y cylchdro. Carlamodd y car ar hyd y gyffordd ac ymuno â'r slipffordd. Fyddai neb yn stopio cwpl priod, dosbarth canol â phasport glân bob un.

"Faint o'r gloch 'yn ni'n hedfan?"

"Nagwy'n cofio," meddai Mr Jones, gan ddal i anwesu.

"Wel dishgwl ar y tocynne 'te!"

"Ble ma'n nhw?"

"Yn y dash... wy'n cretu..." Roedd hi'n mwynhau'r mwythau ac yn cael anhawster newid gêr.

"Falle byddan nhw'n meddwl dy fod di weti'n herwgipio i? Fel y ddou yn y ffilm 'na, beth o'dd 'i enw fe 'fyd?... Dy fod ti'n 'y ngorfodi i i w'itho fel slaf, yn gweini arnot ti ddydd a nos... Mmm, pryd byddwn ni yn Sbaen?" meddai, yn sydyn yn anghyfforddus yn y trowsus gwaith tyn.

"Wy'n treial canolbwyntio!" meddai Mrs Jones yn siarp. Ond roedd hi'n wên o glust i glust.

GYDAG YMDRECH, crymodd Gwennie ei chefn a gosod dannedd y raser yn erbyn ei chroen. Fel rhaw yn clirio eira, cafodd wared o'r sebon a'r blew yn ddiymdrech. O dan ei llaw gadarn, ffurfiai rhychau twt. Sythodd ei chefn am ennyd ac ailafael yn y gorchwyl cyfarwydd cyn bod ei chefn yn pallu'n gyfan gwbl. Ni wnâi hynny mo'r tro heno o bob noson. Gwenodd lond ei hwyneb, ond diflannodd y wên yr un mor sydyn, a gwingodd.

"Daro!" Cnodd y llafn i mewn i'w chroen.

Yn ddiymadferth, gwyliodd ddiferyn o waed yn llithro trwy'r gwagle a phlymio â 'phlop' i mewn i'r dŵr. Neidiodd o'i chroen wrth i wichial y gloch darfu ar ei meddyliau. Edrychodd ar yr oriawr a bwysai ar ymyl y bath, a gwenu, gan ddatgelu rhes felynwen o ddannedd.

* * *

"We-l!" meddai Tomos Roberts wrth agor y drws. Safai Gwennie'n llond ei chroen mewn sgert syth, binc, hyd at ei phengliniau. Roedd dwy sach sbwriel wag yn ei llaw.

"Mrs Jones… o'r capel," meddai Gwennie'n sionc wrth yr wyneb carreg. Roedd Tomos yn welw fel cwyr a'r cwyr hwnnw fel petai wedi toddi'n ddau bant i greithio'i fochau.

"Ie, ie. Wrth gwrs. Chi siŵr o fod yn meddwl 'mod i'n dwp," atebodd yntau'n dawel gan fachu ei fodiau rownd ei fresys. Yn ogof y ffrâm gyfyng edrychai Tomos, hyd yn oed, fel cawr.

"Dim o gwbl. Dyall yn iawn. Ma' lot ar y'ch meddwl chi... Ma'n ddrwg 'da fi'ch poeni chi a gweud y gwir. Ond ma' ffair sborion y capel w'thnos nesa'." Camodd Gwennie ymlaen fel na allai Tomos gau'r drws heb dorri ei thrwyn oddi ar ei hwyneb. "Pum can punt – 'na'n targed ni. Lwyddon ni i gasglu tri chant llynedd. Mair Pant-glas o'dd wrth y llyw bryd 'ny... Wrth gwrs, r'yn ni'n dibynnu ar garedigrwydd pobol. A 'sdim neb yn fwy hael, medden nhw, nag aelodau capel Ebenezer." Dweud, dim gofyn. Dyna steil Gwennie. Peidiwch â rhoi'r cyfle i bobl eich gwrthod.

"Gym'rwn ni r'wbeth – hen lestri, tegane, bric a brac, dillad. Llynedd o'dd 'na fynd mowr ar flowsys men'wod." Roedd hi'n fodlon mentro na fyddai Mr Roberts eto wedi wynebu'r gorchwyl o waredu dillad ei gyn-wraig. Prin dri mis yr oedd hi yn ei bedd.

"O, r'yn ni 'di ca'l 'da pobol 'leni. Hywyr bach! Am garedigrwydd!" Proc i'r gydwybod Gristnogol. "Llond dou fag gan Mrs Lewis y Post."

"Well i chi ddod miwn 'te," meddai Tomos, heb warafun.

Rhag ofn bod Tomos yn cael ei demtio i gau'r drws arni, roedd Gwennie eisoes wedi gosod ei sowdl rhyngddo a'r ffrâm.

"Ar yr amod 'mod i ddim yn torri ar y'ch cino." Gwyddai'n iawn fod hynny'n annhebygol a hithau wedi hen droi dau y prynhawn.

Wrth iddi dywyllu cyntedd y tŷ teras, llenwodd ei ffroenau â gwynt coffi a snwffiodd yr awyr yn uchel.

"Gym'rwch chi ddyshgled?" gofynnodd Tomos.

"Os 'ych chi'n 'neud un," gwenodd Gwennie gan gamu i mewn i'r parlwr. "Un fach – i chi ga'l cyfle i roi trefn ar y'ch trugaredde."

Diflannodd Tomos i'r gegin a gadael Gwennie mewn heddwch i grychu ei thrwyn ar soffa frown, flewog a llenni streipiog oren a melyn oedd wedi hen golli eu lliw. Roedd y 'stafell yn gwynto fel ci gwlyb. O'r gegin, gallai glywed y tegell yn pwffian fel injan stêm a llais Tomos yn gweiddi. " 'Steddwch, Mrs Jones."

"Dim ond am funed 'te. Lla'th a dou siwgwr, plis." Roedd eisoes wedi gwneud ei hun yn gysurus am y prynhawn.

* * *

Yfai'r ddau yn dawel. Tomos yn sipian yn ei bwysau a Gwennie'n llowcio'r coffi'n wyllt er bod yr hylif yn llosgi ei thafod. Yn sydyn, dadebrodd ac wrth sefyll clapiodd ei dwylo'n swnllyd dros sŵn ei phengliniau'n clecian.

"Deuparth gwaith 'i ddachre – medden nhw, ontefe. Arweiniwch chi, Mr Roberts, ddilyna' i. Fyddwn ni ddim whincad yn llanw'r bag 'ma."

Wrth ddringo i'r llofft, a'r staer a phengliniau Mr Roberts yn gwichian am y gorau, meddai Gwennie'n hwyliog, "Ma' whompyn o dŷ mowr 'da chi fan hyn."

"Rhy fowr i un," atebodd Tomos.

"Chwith ar ôl yr hen Mrs Roberts siŵr o fod." Pwysleisiai Gwennie'r gair hen, yn ymwybodol bod y Mrs gynt flynyddoedd yn hŷn na hi.

Ar ben y grisiau, trodd Tomos i'r chwith ac i mewn i'r 'stafell wely. Mewn chwinciad, nododd Gwennie'r llenni melfed o'r ganrif ddiwethaf a'r ddau wely sengl.

Heb aros i weld a oedd ei ymwelydd a'i sachau yn ei ddilyn, amneidiodd Tomos at y cwpwrdd dillad ac agor y drws. Safai Gwennie wrth ei ysgwydd yn eiddgar. Ond cafodd siom. Y tu ôl i addewid y drysau derw, datgelwyd y cynnwys tila – dwy siwt a hanner dwsin o grysau plaen, ac ar silff uwch eu pennau bentwr o siwmperi tenau. Ar lawr y cwpwrdd, gerllaw'r un pâr o esgidiau dydd Sul sgleiniog, roedd y trysor mwyaf.

"Mowcath mowr!" gwaeddodd Gwennie. "Pwy o's yw'r rhein? *Chess, Snakes and Ladders, Draughts...*"

"So nhw ar werth!" Estynnodd Tomos y bocs ar frig y pentwr.

"Yn 'u bocsys gwreiddiol 'fyd. Tro nesa' bydd yr *Antiques Roadshow* yn Cilgetyn, bydd rhaid i chi ddangos rhein i Hugh Scully! Ma' gwerth ffortiwn fach 'ma."

"So nhw mewn cyflwr da," meddai Tomos gan agor y bocs i ddatgelu bwrdd wedi ei dorri'n ddau heb y dis na'r un o'r cownteri gwreiddiol. "Wy 'di whare gormod arnyn nhw dros y blynydde."

"Sa i'n gw'bod beth wede Hugh ymbyti honna!" Gwelodd Gwennie ei wyneb yn cwympo a chan nad oedd hi'n gwbl heb dact, gofynnodd yn sionc. "Ife *Scrabble* yw hwnna, Mr Roberts? Sa i 'di whare ers blynydde."

"Na finne chwaith."

"Chi'n yn synnu i nawr, Mr Roberts."

"Ma isie dou i whare..."

" 'Na beth yw lwc 'te," meddai Gwennie'n hy'. "Dou fach 'yn ni!"

Lledodd gwên dros wyneb yr hen ddyn. "A' i i ferwi'r tecyl," meddai gan fywiogi drwyddo. "Ma' mwy o ddillad drws nesa'… dillad Mrs Roberts… Man a man i chi 'u ca'l nhw nawr."

* * *

Clywodd dinc llwy de yn erbyn soser tsieina. Aeth ias drwyddi fel petai newydd glywed llygoden yn twrio yn yr atig gyda'r nos a hithau yn ei gwely. Dywedai rheswm wrthi am frysio ond gwnâi direidi iddi bwyllo. Roedd eisiau dod o hyd i'r union beth, rhywbeth a fyddai'n gweddu i'w hwyl. Sgert satin ben-glin; blows wedi ei haddurno â ffrilen ar y llewys a'r gwddf; trowsus porffor, llaes; ffrog flodeuog, heb lewys; cot law *vinyl*, ddu; blows croen llewpard… Gorlifai'r deunyddiau fel tafodau o'r cwpwrdd agored, yn garnifal o liw. Yn eu canol, denwyd ei llygaid gan ffrog felfed, fflamgoch. Roedd iddi wddf mentrus o isel i ddiacones hanner can mlwydd oed.

Plygodd ar ei gliniau trwchus a dewis pâr o sandalau arian â sodlau i ryfeddu. Un, dau, tri, lan – a'i sadio ei hun yn erbyn y cwpwrdd dillad cyn ei hedmygu ei hun yn y drych hir. Fel petai mewn gwisg ffansi, trosgludwyd Gwennie yn frenhines ei breuddwydion.

* * *

Yn pipio o dan y cwpwrdd, roedd pâr anferth o esgidiau cerdded, cyfforddus. Dychmygodd Gwennie ddwy ffêr esgyrnog Mrs Roberts yn morio yn y ddwy long yma. Byddai dwy goes frwsh mewn dwy fricsen yn fwy rhywiol na hon. Tynnodd Gwennie nerth ei braich ar ddrws y cwpwrdd a bu bron iddi ei dynnu am ei phen. Yna, gwelodd yr allwedd. Trodd hwnnw'n rhwydd ac agorodd y drws ar ei ben ei hun. I ddechrau, roedd hi'n rhy dywyll y tu mewn iddi weld dim; yna wrth i'w llygaid gynefino ffurfiai'r myrdd o binnau bach rithiau a fyddai'n barod i neidio allan arni, fel ysbrydion heb freichiau, coesau na phennau. Ynghrog ar un o ddwsin o hangeri gwag, roedd pomander yn drewi fel hen anti. Cot wlân lliw sercol, siacedi brethyn brith, ffrogiau crimplîn, y cwbl yn stiff fel starsh ac yn eu trefn. Doedd dim un pâr o drowsus na dim byd y gallai rhywun ei alw'n ddillad bob dydd.

Ofnai Gwennie gyffwrdd ynddyn nhw, rhag ofn y byddai Mrs Roberts yn ymddangos yn sydyn wrth ei hysgwydd gan grawcian arni fel brân. Gweddïai'n dawel nad oedd yr hen fenyw oddi uchod yn ei gwylio'n troi ei thrwyn ar y casgliad o'r oes a fu – sgert blet, lliw camel; siwmperi gwddw polo ac, yn grair o amgueddfa'r gorffennol, bwa sgarff ac arni gynffon a phen cadno. Roedd Gwennie'n hollol saff ei meddwl nad oedd yna unrhyw beth yn y 'stafell yma o ddiddordeb iddi hi.

* * *

Clywai dic-toc syrffedus y cloc a'r pendil yn arafu nes ei fod ar stop.

"Brechdan?" gofynnodd. "Dewch, Mr Roberts! Dwy sydd ar ôl."

"Ddylwn i ddim."

"Meddai pwy?"

"Mrs Jones!" meddai'n bryfoclyd.

Llyfodd Gwennie ei gwefus, fel cath, gan fwynhau blas cyfoethog y menyn a'r *mayonnaise*. Roedd y coffi wedi ildio'n sieri nawr eu bod nhw'n nabod ei gilydd. Doedd dim angen iddyn nhw gellwair bod yn well ganddyn nhw ddŵr na'r ddiod gadarn. Llyncodd y sieri a llyncu eto i guddio rhag Tomos Roberts y ffaith ei bod hi'n torri gwynt.

"Tro pwy yw hi?" gofynnodd yn ffug-ddiniwed ac aildrefnu'r blychau yn y rhes o'i blaen. Closiodd Tomos at y bwrdd a llythyren yn ei law. Ar y munud olaf, stopiodd ac ail-greu ei gamau. Cododd ei fys mewn arwydd i Gwennie fod yn amyneddgar. Roedd yn rhaid iddo gael asesu pob posibilrwydd gan gyfrif sgôr pob symudiad yn swnllyd. Fe fyddai'n well ganddo aberthu sgôr dwbl na rhoi cyfle i Gwennie fynd at y blychau trebl. Ochneidiodd hithau'n ddwfn.

Gwyddai Gwennie'n iawn sut i'w gynhyrfu a phlygodd dros ben y bwrdd yn y flows wddf isel nad oedd yn cuddio pob modfedd o'i dwyfron. Pesychodd Tomos yn awgrym-og. "Sori," meddai Gwennie ac eistedd yn ôl yn ei sedd. Ond dim ond rhyw fymryn.

Yn bwyllog, gosododd Tomos bum llythyren ar y bwrdd. "Gwenu."

"Shwt o'ch chi'n gw'bod 'ny sgwn i? Gweddw ma' pawb yn 'y ngalw i."

"Dim pawb," meddai Tomos. "Mae ambell un yn y'ch galw chi'n Mrs Jones."

Gwenodd y ddau.

"Pymtheg i gyd."

Ysgrifennodd Tomos y sgôr yn ei lawysgrifen daclus.

Ar yr wyneb, tactegau gwahanol i Tomos oedd gan Gwennie. Cyn gynted ag yr oedd yr hen ŵr wedi cymryd ei dro, byddai hithau'n taranu ei hymdrech ar y bwrdd.

"Un a dou yw tri a dou – ma' 'e' yn llythyren ddwbl – yw pump..." cyfrai Gwennie'n araf.

"... wyth i gyd." Atseiniodd Tomos a nodi'r sgôr.

Gwenai hithau'n fodlon.

Chwaraewraig gyfrwys oedd Gwennie. Wrth gwrs, gallai cyn-reolwraig Woolworths gyfrif yn gyflymach na chyn-saer fel Tomos Roberts. Hyd yn oed saer cywrain oedd yn gallu crcu bwrdd a chownteri Scrabble arbennig iddyn nhw gael chwarae yn Gymraeg. Ond gwyddai Gwennie nad oedd yna ddim byd yn chwyddo balchder dyn yn fwy na chael dangos ei hun.

Os oedd hi'n ymddangos fel petai Gwennie'n taro'r blychau i lawr ar hap, mewn gwirionedd roedd hi'n chwarae'n gyflym oherwydd bod ganddi feddwl chwim. Sylweddolodd yn fuan bod cymryd ei thro yn syth yn rhoi pwysau ar Tomos. Roedd e'n feunyddiol ar ei hôl hi. Os oedd hi'n anwybyddu ambell sgôr dwbl, allech chi fentro mai pwrpas hynny oedd bachu sgôr trebl y tro nesaf.

"Mrs Jones, ife? Ma' diddordeb mowr 'da chi yn beth ma' pobol yn 'feddwl ohona' i'n sydyn reit, Mr Roberts." Cnodd Gwennie'r *éclair* oedd yn drwm gan hufen.

"Tomos. Os 'yn ni'n dou'n mynd i fod yn ffrindie, ma'n well i chi 'ngalw i'n Tomos."

"Oreit 'te... Tomos."

"Gwennie... Bob amser yn wên o glust i glust. Ond so pethe wedi bod yn rhwydd i chi, nag'yn nhw? Wedi colli'ch gŵr mor ifanc."

"Yn un ar bymtheg," meddai Gwennie gan hanner credu'r stori ei hun. "Fe oedd 'y nghariad cynta' i. Fy unig gariad." Snwffiodd i ddangos ei bod yn drist. "Cofiwch, ma' manteision i fod ar y'ch pen y'ch hun."

Ni fu'n forwyn i neb, meddyliodd. Câi fynd a dod fel y mynnai heb neb i'w disgwyl yn ôl i hwylio swper. Roedd hi'n rheoli ei harian ei hun. Os oedd het neu gi tsieina'n mynd â'i bryd câi wario'r arian whap a byw'n fain am weddill y mis.

"Ac anfanteision," meddai Tomos. "O'dd 'na neb i ofalu amdanoch chi."

"Do'dd dim isie neb. Pan o'n i'n bump ar hugen, ges i strocen o lwc. Fuodd Anti Beryl farw. O'dd ddim plant 'da 'i a gadawodd hi'r arian i gyd i fi. O'dd e'n ffortiwn! Bryd hynny… Ond do'dd e ddim yn 'neud yn iawn am golli Gerald, wrth gwrs," ychwanegodd yn gyflym. "Gerald druan. Bydde isie dyn a hanner i lenwi 'i 'sgidie fe." Rhoddodd ei llaw ar ben-glin Tomos. Am unwaith, wnaeth yntau ddim symud o'r neilltu.

"C-u-s," sillafodd Tomos yn uchel. Edrychodd Gwennie arno fel petai'n dwl-al. Roedd llygaid yr hen ddyn wedi lleithio.

"So chi'n dost, odych chi?"

"Yn iach fel cneuen."

"Wel, wy' ffaelu credu na weloch chi'r sgôr dwbl 'na'n y gornel." Plygodd yn nes a'i gusanu'n dyner ar ei wefus. "A phwy siort o air yw 'cus' ta beth? Sa i'n credu bydd e yn y geiriadur. Ond wy'n folon edrych."

Y tro hwn, Tomos oedd yn ei chusanu hi a theimlai ei dafod yn dew yn ei cheg.

"Wel, Mr Roberts, faint o farcie roia' i i chi am honna? So hi'n mynd i newid dim ar y sgôr, cofiwch. Fi sydd ar y bla'n o hyd." Teimlai Gwennie ei chalon yn dyrnu.

"Gan bwyll bach," meddai Tomos. "Paid â becso dim."

Cnodd Gwennie'n ffyrnig ar ei gwefus rhag chwerthin yn uchel. Fe'i trawyd gan y syniad bod Tomos yn credu ei bod hi'n wyryf. Pwyllodd, rhag neidio ar ei chymar. Ni wnâi'r tro iddi ddangos ei bod hi'n ei mwynhau ei hun. Yn araf, fe'i gwthiwyd yn ôl yn erbyn y soffa a dechreuodd Tomos lacio'r botymau ar ei blows. Gorweddodd yno'n llipa, mewn ystum y credai y byddai'n gweddu i wyryf. Roedd hi'n dipyn o flynyddoedd ers iddi fod yn un ei hun.

* * *

"Priodi cofiwch! Sa i'n un i hela clecs, ond yn y Bahamas fydd hi, glywes i!" meddai Mair Pant-glas ar ôl capel.

Roedd Gwennie'n ymwybodol bod pwnc 'priodas' yn codi'n aml, nawr bod ei pherthynas â Tomos Roberts yn hysbys i holl weddwon a hen ferched Cilgetyn Isaf.

"Heb dylwth na gw'nidog yn agos!"

"Wel, wel, wel," meddai Miss Huws.

"Ma' 'i mam byti torri 'i chalon," sibrydodd Mair Pant-glas drachefn.

"Wel, wel, wel," meddai Miss Huws .

MP oedd enw cudd Gwennie am Mair – oherwydd ei bod hi'n ymddwyn mor bwysig, fel petai'n gwybod beth oedd orau i bawb. Blasai wenwyn eiddigedd yn ei geiriau. Yn dair a thrigain mlwydd oed, roedd wyneb MP mor grychlyd â'r datysen Nadolig sydd ar ôl yn y fowlen ffrwythau ym mis Mai. Roedd hi'n annhebygol bellach y byddai'n priodi o gwbl heb sôn am briodi yn y Bahamas.

"Rhamantus iawn, weden i." Methodd Gwennie â dal ei thafod. "Priodi gyda'r haul ar eich cefn a'r môr yn goglais bysedd eich traed. Paradwys!"

" 'Dyw rhedeg bant o ga're i briodi ddim yn apelio at bawb," poerodd MP. "Yn wahanol i chi, Mrs Jones."

"Sa i 'da chi nawr," atebodd Gwennie.

"Wel, priodi yn Dover 'naethoch chi. 'Na beth wedoch chi ontefe… Mrs Jones?" Roedd hi'n disgwyl ateb.

"Ma'n ddrwg 'da fi. Ma' meddwl am Gerald yn dal i

ddod â lwmp i'r gwddwg."

"Ma'n dda bo' 'da chi ysgwydd i bwyso arni 'te. A chithe mor sensitif."

"Ysgwydd?" gofynnodd Gweddw.

"Wel, sa i'n un i ailadrodd clecs fel 'ych chi'n gw'bod yn dda, ond wy' wedi clywed o ffynhonnell ddibynadwy iawn y'ch bod chi a Mr Roberts yn byw a bod yn nhai eich gilydd. Chi'n gw'bod pwy ochr o'r bara ma'r menyn, weda' i 'na, Gweddw Jones. Ma'n nhw'n gweud bod ffortiwn fach 'da Mrs Roberts gynt."

"Am unwaith, ma'ch ffynonellau chi'n hollol gywir!" hisiodd Gwennie.

O boced ei chot ffwr ffug tynnodd ei llaw dde a'i chwifio o flaen y ddwy geg agored. Roedd y garreg ruddem ar y fodrwy yn ddi-chwaeth o fawr hyd yn oed ym marn Gwennie.

* * *

Cyn coluro, gwthiodd ei gwallt o dan y cap cawod. O dan y cwrls du, roedd gwreiddiau'i gwallt yn llwyd. Ffurfiai ei haeliau pensel ddau fwa a phaentiodd y gofod tyner oddi tanynt yn las lachar. Rhoddodd smotyn pinc ar bob boch a rhwbio nes i wawr iachus gynhesu'r croen. Lliwiodd ei gwefusau yn nwydgoch. Fe fyddai'n anodd ar Tomos beidio â'u cusanu. Yn olaf, chwistrellodd bersawr drud ar ei brest noeth.

* * *

O'r sedd fawr, syllai Gwennie'n ddall dros lond llaw o wynebau crychlyd y gynulleidfa, nes dod at Mair Pant-glas. Roedd hi'n morio canu gan foddi pawb a phopeth gan gynnwys yr organ. Cododd Gwennie'r fodrwy ar ei llaw. Gwyliodd yn ddidaro wrth i'r rhuddem ddal yr haul disglair a'i daflu o gwmpas y capel yn fflachiadau o oleuni fel iâr fach yr haf. Trowch eich llaw fymryn i'r dde, meddyliodd Gwennie, ac fe allech yn hawdd ddallu MP yn ei llygad chwith (yr unig un a welai, yn rhyfedd iawn, gan na chollai ddim). Gallech ei hatal rhag darllen penillion ei hoff emynau. Ailgydiodd Gwennie yn y dôn wrth i nodau'r organ ddod unwaith eto i'r amlwg.

Yn y cefn, gwelodd Tomos, ffon gerdded o ddyn, a'i ysgwyddau'n crymu dros gorff main ac arno ambell aelod cnotiog. Roedd hi'n anodd rhoi eich bys ar beth yn union oedd ei apêl. Roedd e'n fwy o Peter Cushing na Clark Gable. Ond os oedd e'n fach o gorff, roedd ei galon yn fawr. Go brin yr oedd yna neb yn y pentref mor boblogaidd ag ef, ers iddo golli ei wraig. Winciodd arno'n sydyn a gwenu'n fras wrth weld yr hen ŵr yn gwrido.

* * *

"O'r diwedd!"
"Gwennie! Wyt ti'n bictiwr, wyt wir. Fel brenhines!"
"A tithe'n edrych fel 'set ti byti starfo! Fues i i'r siop gynne fach. Ma 'da ni frechdane samwn a *mayonnaise*, cacen siocled o'r rhewgell a hufen dwbwl."
Edrychai Tomos yn anghyfforddus.
"Gei di fecso ymbyti llosg cylla 'fory. Ma' isie byw pob dydd fel 'se hwnnw o'dd y d'wetha'. Gosod y bwrdd! A' i i nôl y plate."
Gwlychodd Gwennie ei bys am yr eilwaith a chodi'r briwsion i'w cheg, yn ymwybodol o'r effaith a gâi ar

Tomos. Fflachiodd wên sych ato. Cym'rai'n hwy nag arfer i chwarae heno. Er mwyn ei annog, roedd wedi gadael y blwch trebl, hudol yn fwriadol wag. Roedd Tomos yn cymryd oes i benderfynu beth i'w roi arno. Yn bwyllog, gan anwybyddu'r sgwâr trebl, sillafodd 'priodii'. Syllai ar ei draed ond sylwodd Gwennie ei fod yn gwenu.

"Ac ers pryd ma' dou 'i' yn priodi?" holodd Gwennie.

"Wy' 'di blino whare," atebodd Tomos. "Wnei di 'mhriodi i?"

Yn bryfoclyd, dechreuodd Gwennie gyfrif yn dawel. Golygai gyrraedd ugain cyn ateb.

"Sa i'n fowr o fachan, wy'n gw'bod, ond allwn i ofalu amdanat ti 'set ti'n folon. Ma' 'da fi arian ar ôl Glen... Mrs Roberts, ar ôl 'i thad. Na'th hi erio'd wario cinog yn fwy nag o'dd raid."

Trawodd Gwennie dair llythyren ar y bwrdd. "O'n i'n dachre meddwl na ofynnech chi fyth!" meddai'n wamal. " 'Naf'. Wy'n brin o 'g' ac 'w'!" Doedd ganddi fawr o ddewis mewn gwirionedd, roedd papur ugain diwethaf Anti Beryl wedi talu am yr hufen dwbl.

Cwm Teg

CROGAI'R LLOER FEL PENGLOG DDISGLAIR y tu allan i'r ffenest. Ffrydiai ei golau neon trwy'r llenni a thorri'r tywyllwch fel llafn. Y tu mewn, rhythai pâr o lygaid gwyrdd gloyw ar y llythrennau gwyrdd gloyw'n magu fel haint ar y sgrin. Roedd hi'n dawel fel y bedd ond am hymian cysurlon y cyfrifiadur a thap-tap-tap bysedd Wil Richards ar y llythrennau treuliedig. Yn sydyn, canodd y ffôn yn groch a neidiodd o'i groen. Cododd y derbynnydd yn syth a chlustfeinio am synau dadebri o'r 'stafelloedd gwely gerllaw. Roedd yn rhyddhad pan na chlywodd na siw na miw ond am wich yr hen frics a phren yn anadlu.

"Wil. Haia boi. Carolyn sy' 'ma."

"O, helo... A ll... ll... llongyfarchiade i chi," meddai Wil. Roedd ei chanmol yn ymdrech.

"Diolch i chdi, boi."

Yn y cefndir, gallai glywed cadair yn sgrechian siglo'n ôl ac ymlaen, ac i'w glustiau, roedd y sŵn fel ewinedd yn crafu bwrdd du. "So chi yn y'ch gwely 'te?"

"Dim gobath caneri. Mae hi fath â ffair 'ma. Amseroedd cyffrous, Wil boi. A dwi isio i chdi fod yn rhan ohonyn nhw."

"Ardderchog!" atebodd Wil gan chwyddo'i frest nes ei bod hi'n llenwi ei gardigan. Dechreuodd chwarae gyda'i wallt gan dynnu'r cudynnau ar hyd ei ben moel a'u sythu yn eu lle gyda'r chwys ar gledr ei law.

"Fyswn i'm yn gofyn i bawb. Mae o'n waith rhy bwysig. Mae isio rhywun cyfrifol. Rhywun alla' i 'i drystio. Rhywun fath â chdi."

"Wel, unrhyw beth alla' i 'neud i helpu." Yn wyliadwrus, edrychodd dros ei ysgwydd a chlosio at geg y ffôn. Y pen arall roedd sgrech y gadair wedi peidio.

"Terry Lewis. Dwi 'di cael llond bol ar y cythrel. Dwi isio i chdi 'i ladd o!"

"Beth...? So chi o ddifri!" Roedd Wil yn hisian mor uchel ag a fentrai.

"Yndw. Mae hi'n hen bryd cael gwared ar y diawl."

"Ond Terry, sa i'n dyall. Ma' fe'n shwt gymeriad. Cês a hanner..."

"... a mochyn a bwli a siofinist heb ei ail. Llwgr i'r craidd, boi. Dwi isio cael gwared arno fo."

"Sa i'n gw'bod. Yn 'y marn i, bydde hynny'n gam-gymeriad!"

Roedd Carolyn yn rhochian chwerthin. "O, Wil 'y mach i! Paid â meddwl y medri di arbed croen Terry. Os gwrthodi di, mi ofynna' i i rywun arall. O'n i'n meddwl rhoi'r cynnig cynta' i chdi, 'na i gyd. Tydi hynny ond yn deg a chithau'ch dau'n bartnyrs yr holl flynyddoedd 'ma."

"Sa i'n siŵr..."

"Cofia, boi, gei di wobr gwerth chweil am y gwaith. Craig o arian, at dy ymddeoliad."

"Craig o arian." Roedd e'n hoffi honna. Wrth ysgrifennu'r geiriau yn ei lyfr bach, sylwodd Wil fod ei ddwylo'n crynu.

* * *

"Rwyt ti'n mynd i farw. Ond cyn mynd, ti'n mynd i w'bod pwy yw dy lofrudd."

"Jerry?"

"Ie, Jerry. Jerry, dy ffrind gore. A Jerry… dy frawd!"

"Brawd! Ond wy'n unig blentyn."

"Nac wyt. R'yn ni'n dou'n efeilliaid."

"Na!"

"O, ie! R'yn ni mor wahanol â… mor wahanol â…"

Tynnodd Wil ar ei farf a'i hanwesu rhwng ei fysedd fel hen dedi-bêr. Troellodd y cudyn fel top a'i dynnu'n dorch dynn.

"… mor wahanol â sialc a chaws…"

Na, cyfieithiad llipa o'r Saesneg. 'Cymro a Sais'. Na, rhy ddadleuol. 'Ag y gallan nhw fod'. Rhy gyffredin. 'Mêl a menyn'. Ie!

"R'yn ni mor wahanol â mêl a menyn."

Datgymalodd ei farf a rhedeg ei fysedd tew fel crib rhwng y cudynnau brith.

"Roedd dau fabi'n ormod i Mam a hithe ar ei phen ei hun. Felly, gest ti dy fabwysiadu. Fe gadwodd hi'r gyfrinach ac o'dd neb yn gw'bod amdanat ti. Ond pan fuodd hi farw'r llynedd, wedodd hi'r gwir ar ei gwely angau…"

"Sa i'n credu hyn…"

"Ddes i 'nôl i Gwm Teg i dy ffeindio di. O'n i moyn i ni'n dou fod yn ffrindie, o'n i moyn dy garu di fel brawd. Ond beth ffindes i? Pwdryn dan din a bwli sy'n tormentio'i wraig a'i deulu ac yn dwgyd 'wrth ei ffrindie a'i gymdogion. So ti, Terry Lewis, yn haeddu byw!"

"Na, Jerry…! Paid…! Aaaah!"

* * *

Torrodd y sgrech drwy'r distawrwydd fel taranfollt. Ar ôl ychydig o eiliadau, sylweddolodd Wil ei bod hi'n perthyn i'r byd yma ac nid i fyd ei ddychymyg. Cododd fel bollt o'i sedd a'r un mor fyrbwyll eisteddodd i lawr unwaith eto. Pwylla, meddyliodd, a dechrau cyfrif yn hamddenol. Tri... pedwar... pump... chwech, saith, wyth. Damo'r blwmin nyrs! Cyfrif i ugain, wir. Roedd hi'n amhosib. Gallai'r llefain yna ddihuno'r meirw. Clustfeiniodd am sŵn symud yn y 'stafell drws nesaf. Chlywai e ddim byd ond yr udo parhaus. Efallai fod y gath yn ei mogi! Cododd a brasgamu am y feithrinfa.

Ar ei ffordd, aeth heibio i'w 'stafell wely a phipio i mewn trwy gil y drws. Gorweddai fel delw yn syllu'n llygad-agored ar y nenfwd. Cripiodd i mewn ond cyhoeddwyd ei bresenoldeb gan wich y drws. Cyn iddo gael cyfle i agor ei geg, trodd ei chefn a thynnu'r cynfasau yn dynn dros ei hysgwydd. Aeth Wil yn ei flaen i'r feithrinfa.

"Wp-a-deis! Dere at Dadi." Cododd Magdalena o'r crud. Roedd hi wedi ymlâdd a'r sgrechian wedi troi'n igian crïo. Doedd dim angen gofyn beth oedd yn bod. Crychodd ei drwyn ar y drewdod a rhoi pat cariadus i'w phen-ôl. Teimlodd ei law'n mwytho rhywbeth cynnes a meddal.

"Isie newid cewyn, ife? Byddi di'n iawn wedyn, on' byddi di cariad?" Roedd y drewdod fel toiled dynion mewn clwb nos, fel tomen sbwriel yn yr haf, fel hen gyfog ci. Ie, da iawn. Byddai'n rhaid cofio honna. " 'Na ti blodyn. Pwy sy'n ferch dda i Dadi 'te?" Rhoddodd Magdalena'n ôl yn y crud a phlannu cusan tyner ar ei boch. Crychodd ei drwyn yr eilwaith. Roedd ei gŵn nos wyneb i waered.

"Mags..." sibrydodd Sheila o dan y cynfas.

"Ma' hi'n cysgu'n drwm."

* * *

Rhwbiodd Wil ei lygaid yn ddygn a mwynhau'r caleidosgop o dan ei amrannau. Roedd wedi blino'n swps ond roedd meddwl am fynd i'r gwely yn amhosib. Yr adeg yma o'r dydd, câi lonydd i gynnau gwreichion y dychymyg. Roedd hynny'n hollbwysig i'r awdur difrifol. Ac mi roedd Wil Richards yn un o'r rheini, fel y tystiai'r llyfrau wrth ei benelin: *Geiriadur yr Academi, Y Geiriadur Mawr, The Concise Oxford English Dictionary, The New Collins Thesaurus, Teach Yourself Creative Writing, So You Want to be a Writer, Cyfansoddiadau a Beirniadaethau* yr Eisteddfod Genedlaethol 1973 i 1999. Os oedd angen mwy o dystiolaeth, roedd ei enw ar deitlau'r ddrama sebon *Cwm Teg*. O, fe wyddai'n iawn fod yr anwybodus yn bychanu opera sebon fel ysgrifennu plant bach. Ond roedd sgìl arbennig mewn ysgrifennu dcialog a swniai'n ddigon cyffredin i fod yn sgwrs bob dydd, ond ar yr un pryd yn ddigon cyffrous i gadw'r bysedd oddi ar fotymau sianeli eraill. Roedd ei glustiau'n fyddar i feirniadaeth gwylwyr cyffredin. Doedden nhw'n gwybod dim am y busnes.

Yn hwyr y nos fel hyn, roedd y tŷ'n llonydd am unwaith. Byddai ceir yn mynd heibio mor anaml nes bod rhuo pob un yn tarfu arno. Eisteddodd yn ôl yn galed yn erbyn y glustog a mwytho'r cur yn ei ben. Ar y stryd, clywai dwrw bin sbwriel yn cwympo ac yn diasbedain i lawr yr heol. Blincin myfyrwyr! Roedd yn hanner disgwyl clywed trai a llanw corws aflafar o 'Milgi, milgi'. Ond ddaeth e ddim ac yn ei le teimlodd banig yn codi. Prin ddeufis oedd ers y lladrad. Gelen nhw grasfa go iawn petai'n eu dal nhw eto. Cododd yn lletchwith a phlygu dros y ddesg i godi cornel y llenni, y mur preifat am ei fyd. Roedd y stryd yn wag ond am gath drws nesaf yn esgyn dros y glwyd.

"Os bishi di yn 'yn rhododendrons i 'to y cythrel, fe flinga' i di'n fyw!" Ni fentrai gnocio ar y ffenest i'w dychryn. Doedd e ddim am i ddim byd arall dorri ar ei draws.

Blinciodd. Ond oedd, roedd llen o blu eira mân yn chwyrlïo trwy'r aer. Roedd e'n 'difaru tynnu ei fest. Uwchlaw yn yr awyr roedd y lleuad, yr wyneb gwelw na welai haul, yn llachar o wyn. Yr unig arwydd o fywyd oedd y myrdd o wythiennau glas. Syllodd Wil yn gegrwth wedi ei gyfareddu. Yna, saethodd ias o'i gorun i'w sawdl a'i ysgwyd hyd ei esgyrn. Cwympodd yn ôl yn glatsh yn ei sedd.

Ni wyddai am ba hyd y bu'n cysgu, ond fe'i dihunwyd gan gloc drws nesaf yn seinio deuddeg o hirbell. Edrychodd o'i gwmpas yn freuddwydiol, yn ceisio rhoi siâp a llun i ddodrefn y swyddfa. Yn syllu arno ar y ddesg, roedd y calendr. Rhwygodd yr wyneb-ddalen a'i tharo'n sgrwnsh i'r bin.

"Ladda' i ti'r diawl!" tap-tapiodd.

Sgrechiai'r calendr ei neges, Gwener y trydydd ar ddeg. Y tu ôl i'r llenni simsan, llenwai'r lleuad argoelus y ffenest gyfan.

* * *

"Aaah!"

Clic. A chlic eto yn atseinio'n ofer.

"Damo!" meddai Jerry dan ei wynt.

Wrth iddo astudio'r gwn yn stryffaglus, roedd Terry yn ei ddyblau, ond nid oherwydd ei fod yn nyrsio ergyd farwol i'w stumog. Roedd yn ei ladd ei hun yn chwerthin.

"Beth sy'n bod?" meddai gan geisio cael ei wynt ato.

"Ffaelu cael y gwn i danio! Ti'n blincin anobeithiol!"

"Ca' dy ben 'nei di… Yffach gols!"

"Gofiest ti'r bwledi?" gofynnodd Terry'n ffug-ddiniwed.

"Wrth gwrs 'mod i 'di cofio'r blincin bwledi!" arthiodd Jerry. "Y blwmin triger sy wedi stico, ontefe?"

"O, reit. Wel, sori bachan, ond 'sdim trw'r nos 'da fi i sefyllian fan hyn. Wy' byti sythu! Ond os cei di'r gwn i w'itho coda'r ffôn! Bydda' i yn y Nag's Head yn gweud yr hanes wrth y bois!" Cododd Terry ei law i'w ben mewn saliwt a chladdodd ei fysedd rhewllyd ym mhocedi ei siaced ddenim. Roedd e'n dal i fostio chwerthin. Ond prin yr oedd wedi troi i fynd pan daniodd y gwn.

* * *

"Wel, os 'ych chi'n mentro mas heddi, byddwch yn ofalus rhag ofan i chi gael eich taro gan fellten. A ph'idwch cerdded o dan unrhyw ysgolion, chwaith," meddai'r hylabalŵ boreol ar y radio.

"Pam 'ny 'te, Ken?"

"Wel, wy'n falch dy fod ti wedi gofyn, Len. Ti'n gweld, heddi yw diwrnod mwya' rhyfedd y degawd. Ie, y degawd!"

"Paid â gweud, Ken!"

"Diolch, Len! Nid yn unig mae'n ddydd Gwener y trydydd ar ddeg. Ond n'ithwr roedd 'na leuad lawn hefyd! Wwww!"

"Ti'n llawn ffeithie, on'd wyt ti, Ken? Ond o't ti'n gw'bod bod Charles Hyde, ie, y Mr Hyde hwnnw, yn 'neud ei ddryge iasol i gyd adeg lleuad lawn?"

Diffoddodd Wil y radio. Y tu mewn i'w ben, fel mewn ffeiriau 'slawer dydd, roedd dynion cyhyrog yn profi eu cryfder drwy daro morthwylion yn erbyn ei benglog.

Doedd e ddim eisiau dangos hynny i Sheila ac felly chwibanai'n uchel wrth droi'r wyau wedi'u sgramblo yn y sosban. "Fyddan nhw ddim yn hir nawr. Ti siŵr o fod byti starfo!" meddai'n llon.

Eisteddai ei wraig yn fud wrth y bwrdd, yn ei gŵn nos a'i slipers. Syllai'n ddall i'r gwagle. O dan ei thrwyn, gorweddai'r papur a'r post heb eu hagor. Ni symudai fodfedd ond i sipian o'r cwpan coffi roedd hi'n ei ddal wrth ei cheg yn barhaus.

" 'Na ti. Wye a bacwn. Wedi grilo, wrth gwrs. Tost bara brown heb fenyn. Llond bola o fwyd iach. A'r cwbwl yn llower mwy blasus na blincin muesli." Doedd dim tamaid o chwant bwyd ar Wil ond llowciodd ei blataid yn awchus er mwyn dangos esiampl. "Mmm!" meddai'n swnllyd. "Dere 'te! All neb fyw ar awyr iach…"

Cododd ei law at ei ben a rhwbio'r briw. "Treia damed bach." Gwgodd a throi'n llym. "Ma'n rhaid i ti fyta rh'wbeth!"

Edrychodd Sheila arno mewn sioc a dechrau rhofio'r bwyd un llond fforc ar y tro, i mewn i'w cheg. Llyncai heb flasu, yn araf a bwriadus, fel petai'n llyncu pilsen heb jam.

"Da iawn!" canodd Wil. Roedd wedi cwpla ei frecwast ac yn dweud gw-gw wrth Magdalena yn ei freichiau. "Os nag yw Mami moyn byta er mwyn 'i hunan, ma'n rhaid iddi fyta er dy fwyn di, on'd o's e cariad?"

Yn bwrpasol, poerodd Sheila lond ceg o wy ar ei phlât. Gosododd ei chyllell a'r fforc fflatsh ar ben yr wy wedi'i ailchwydu ac allan â hi fel corwynt.

"Wel, Mags fach. Beth ma' Mami'n meddwl ma' hi'n 'neud, gweda? Bydd rhaid i ni ga'l gair 'da hi."

* * *

Roedd y ffôn wedi canu a chanu cyn i Wil ei ateb yn ddiamynedd. Wrth weithio, doedd e ddim yn gwneud tasgau cyffredin fel ateb y ffôn. Roedd ysgrifennu, os oedd am gael ei wneud yn iawn, yn galw am ganolbwyntio cant y cant a'ch cau eich hun oddi wrth y byd arall. Ond er i Wil roi'r gorau i deipio er mwyn clustfeinio am bitran-patran slipers Sheila ar garped y cyntedd, ni chlywai ddim ond cloch y ffôn yn seinio'n uwch gyda phob caniad.

"Wel, boi, laddest di'r diawl annifyr?"

Bu bron i Wil dagu ar ei goffi wrth glywed llais Carolyn Redbridge. Yn amlwg, roedd yr ast ar ei gynffon.

"Terry, chi'n 'feddwl?" meddai'n ffrwtian a phoeri a sychu dafnau caffein oddi ar ei gardigan.

"Pwy arall? Y cythrel brwnt!" Roedd hi'n cau ac yn agor beiro yn swnllyd yn erbyn y derbynnydd.

Teimlodd Wil ei hun yn berwi. Cymerai'n ganiataol bod yr ast fach yn ceisio codi ei wrychyn. Er mwyn cadw'i ben, anadlodd yn ddwfn.

" 'Na'n gwmws beth o'dd yn 'neud Terry'n gymeriad mor ddiddorol, y ffaith ei fod e'n hen gythrel cas." Doedd y cyw melyn yma ddim yn mynd i gael y gorau arno.

" 'Dwyt ti erio'd yn cael traed oer, boi?" Roedd Carolyn yn pwffian chwerthin.

"Wel, ma' deng mlynedd o roi geirie ar wefuse Terry Lewis yn amser hir."

"Rhy hir!" meddai'n llym. "Mae pawb 'di laru ar 'i wep hyll o. Mae o'n hen, fath â bara ddoe. Hen bryd 'i waredu o, dd'udwn i!"

"Os 'ych chi moyn newid eich meddwl, so ddi'n rhy hwyr." Roedd Wil yn colli tir ac yn suddo'n is yn ei sedd gyda phob gair.

"Dwi'n hollol sicr fy meddwl! Dwi 'di bod yn ysu am

gael 'i wared o ers tro. Rŵan mai fi sy'n gneud y penderfyniadau mawr i gyd, dwi'n bwriadu 'i ladd o."

"A beth ymbyti fi?" Gweddïai Wil na fyddai ei lais yn cracio.

"Paid â bod yn ffŵl sentimental!"

* * *

"Yffach gols, Jer 'chan, fuest ti byti rhoi harten i fi'n saethu'r gwn 'na. Allet ti 'di'n lladd i! Ma' hi'n amen ar y tun *coke*!" Dechreuodd Terry rochio chwerthin.

"Byddi di'n chwerthin trwy dy din yn y funed. Wy'n mynd i hwthu dy ben di'n jibidêrs!" Anelodd Jerry'r gwn unwaith eto.

"Nac wyt ddim!"

Petrusodd Jerry mewn penbleth. Teimlai'r gwn yn lletchwith yn ei law. "O odw! So ti na neb arall yn mynd i'n stopo i."

"A beth ymbyti fe?" gofynnodd Terry gan gyfeirio'i ben dros ei ysgwydd.

"Pwy?" Doedd dim un enaid byw i'w weld ac roedd Jerry'n dechrau colli amynedd.

"Fe. Y Brawd Mawr."

"Ca' dy ddwli, 'nei di!"

"Wy' o ddifri. Ma' Fe'n watshio pob symudiad 'yn ni'n 'neud. On'd wyt Ti? Fel 'sen ni'n blincin pypede a Fe'n dala'r llinynne!"

"Ti'n honco bost, 'na beth wyt ti!" Roedd y tân ym mol Jerry wedi diffodd. "Hei Ti! Os wyt Ti'n ffindo'r sioe mor blincin ddiddorol, helpa fi'r pwrsyn!"

"Alla' i ddim," sibrydodd Wil.

"Beth? Wy'n ffaelu clywed, 'chan!"

"Alla' i ddim," meddai, fymryn yn uwch. Roedd yn edrych dros ei ysgwydd yn dragywydd er y gwyddai fod drws ei 'stafell ar gau.

"Yffach gols!" meddai Jerry, a cherrig mân yn tasgu i bob cyfeiriad wrth i'r gwn daro'r tarmac. "Pam…? O, wy'n gweld… Ti'n 'i hofan hi, on'd wyt Ti…? Gronda 'ma gwboi, so Ti'n mynd i adel i ryw bishyn o fenyw roi ordyrs i Ti."

"Y pishyn o fenyw 'na yw'r bòs," cuchiodd Wil.

"Bòs arnot Ti! Mae hi hanner dy oedran di, 'chan, a 'sdim hanner dy brofiad di gyda hi. O'dd honna'n sugno diti pan o't Ti'n rhoi *Cwm Teg* ar 'i dra'd. A beth yw'r diolch wyt Ti'n 'i ga'l? Cic mas ar dy din! Os wyt Ti'n gofyn i fi, boi, ma' isie dysgu gwers i honna. Unweth ac am byth!"

* * *

Wrth i Wil roi ei droed ar stepen waelod y staer, roedd y nyrs eisoes yn y cyntedd yn cau ei bag.

"Shwt o'dd hi?" Roedd ei gydwybod yn ei brocio. Roedd wedi bod yn gweithio'n galed yn ddiweddar.

"Ma' hi'n well. Meddai hi."

Corff soled, di-siâp oedd gan y nyrs. Dychmygai Wil godi ei sgert startshlyd a gweld anghenfil brics. Roedd hi'n gyfyng yn y cyntedd a safai'r ddau'n anghyfforddus, brest ym mrest.

"Odi hi…? Odi hi'n well?" gofynnodd Wil, yn mentro credu am ennyd.

"Mr Richards, fel wy' 'di gweud 'thoch chi droeon, ma' hi'n mynd i gymryd amser. Odych chi 'di dachre 'neud beth 'naethon ni drafod?"

"Do." Edrychodd i fyw ei llygaid. Oedd hi'n gwybod ei fod e'n dweud celwydd?

"A sut ma' hi'n ymateb?"

" 'Se fe lan i 'ngwraig gele Mags lefen nes bod dim ysgyfaint 'da hi ar ôl!"

Gwaeddodd Sheila, o'r lolfa. "Sa i'n fyddar, chi'n gw'bod! Wy'n gallu clywed pob gair 'ych chi'n 'weud tu ôl i 'nghefen i!"

Dechreuodd Wil rwbio'i dalcen ble y teimlai'r boen, nes bod ei fysedd yn seimllyd ac yn symud yn llyfn.

"Mae'n rhaid i chi sylweddoli, dyw hi ddim yn mynd i wella dros nos. Ond byddai'n help i Sheila 'sech chi'n rhoi mwy o gyfrifoldeb iddi." Pipiodd y nyrs ar ei horiawr a throi ei chefn. Roedd hi'n hwyr i'r apwyntiad nesaf.

"Wy' yn well!" meddai Sheila i gyfeiliant Richard a Judy ar y teledu.

"Wyt ti?" meddai Wil heb ddiddordeb.

"Yn holliach. Yn iach fel cneuen... Wil?"

"Fel cneuen, wedest ti? Dala mla'n, i fi nôl y llyfr bach."

Gloywodd llygaid Sheila wrth syllu ar y sgrin. Cofiai ffaith ddiddorol iawn am Richard Madley. Roedd wedi cael fasectomi!

"Ti'n gwella, Sheila, ond so ti'n well. Ti'n cofio beth 'wedodd y nyrs? Ma'n rhaid dringo'r ysgol un cam ar y tro." Siaradai Wil fel petai'n egluro rhywbeth cymhleth i groten ysgol. Safai ar ei draed. Doedd dim amser ganddo fe i lolian ar ei din drwy'r dydd. "Pan fyddi di wedi dringo i dop yr ysgol, byddi di, fi a Mags yn un teulu mowr, hapus."

" 'Run peth â'r Waltons."

"Ie, 'run peth â'r Waltons. Ond mae lot o waith caled o'n bla'n ni cyn hynny."

Winciodd Sheila'n gynllwyniol ar Judy. "Llonydd sy isie arna' i! Dim llond tŷ o bobol yn hwpo'u trwyne mewn i 'musnes i!"

"Gronda gwgirl," poerodd Wil yn siarp, gan danio fel matshen. "Wy'n dachre ca'l llond bola ar y nonsens 'ma! Os wyt ti'n well, dachreua garco Mags. So'r un fach yn nabod 'i mam! Ond os wyt ti ffaelu ymdopi â dy ferch dy hunan, ca' dy lap a gad i'r bobol sy'n gw'bod yn well dy helpu di! Fe roiwn ni stop ar y nonsens 'ma unweth ac am byth!" Trodd Wil yn ddramatig. Roedd yn gyn-fyfyriwr drama.

"Unweth ac am byth, unweth ac am byth," atseiniodd Sheila fel parot. "Ti'n sgwennu'r sebon 'na mor hir, ti'n swno fel un o'r cymeriade! Ma' popeth yn ddu a gwyn i ti. Ond wyt ti'n gw'bod pwy liw yw'r byd iawn? Llwyd. Pabell o flanced mowr, coslyd, llwyd sy'n cau am berson a'i fogi!"

"Sheila!" gwaeddodd Wil, mewn syndod. "Ma' hwnna'n drysor bach! Ble gythrel a'th y beiro 'na?"

Trodd Sheila'n ôl at y teledu a throi'r sŵn i fyny mor uchel ag y gallai ei ddioddef.

* * *

" 'Styria boi! Mae gin i gyfarfod ac mi o'n i'n gobeithio cael gair efo Ler ym Marchnata." Doedd Carolyn yn gwneud dim ymdrech i guddio'i dirmyg. Yn y cefndir, roedd hi'n swnllyd fel sw.

Ochneidiodd Wil yn ddwfn. Crynai'r derbynnydd yn ei law, ond nid mewn ofn. " 'Na' i ddim y'ch cadw chi, 'te. Camgymeriad fydde lladd Terry Lewis."

"Yr un hen adnod... Helen, ti 'di trio 'f' am ffeils?"

"Nid Utopia yw *Cwm Teg*, Carolyn. Ma' bywyd yn gymysgedd o dda a drwg. A p'un a 'yn ni'n lico 'ny neu b'ido y drwg sy'n rhoi'r lliw. Ma' isie rhywun fel Terry i roi cic lan ambell ben-ôl a phiso mewn ambell bacyn tships."

"Dwi isio nhw yn y post heddiw, nid 'fory! Fel d'udes i, dwi wedi penderfynu. Bydd yn ofalus rhag ofn i ti biso ar dy dships dy hun, boi."

"Odych chi'n 'y mygwth i?" sgyrnygodd Wil. Roedd y tân yn ei fol yn troi'n goelcerth.

"Ddilyna' i chdi lawr, Helen. Fydda' i fawr o dro…! Wyneba ffeithiau, boi."

"Wel, 'co cwpwl o ffeithie i chi. Wy' 'di bod yn 'sgrifennu i *Cwm Teg* ers y dachre'n deg. Ers cyn i chi ga'l y'ch geni, gwgirl. Fi sy wedi creu rhai o'r straeon a'r cymeriade gore. Mrs Pais, prifathrawes yr ysgol fach a menyw o'dd arfer bod yn ddyn… Y daeargryn a laddodd Minnie'r Siop a Bili Sgriw, yr hanner brawd oedd hefyd yn ŵr iddi… Hebdda' i fydde dim *Cwm Teg* i ga'l, a fysech chi ar y clwt!"

"Dyna pam dwi'n mynd i fod yn strêt efo chdi, rŵan… Yn y ffeil goch fath ag arfer…! 'Dan ni'n chwilio am waed newydd, Wil. 'Dan ni'n mynd trwy'r penodau prawf p'nawn 'ma. Mae nifer o rai addawol. 'Dan ni mewn sefyllfa i gael gwared rhai o'r hen do, y rhai sydd wedi bod wrthi'n rhy hir."

"Fe ga' i arbed stamp i chi 'te. Pob lwc i chi a'ch amatyrs-syth-mas-o'r-coleg. Wy'n ymddiswyddo!"

Roedd yr eira wedi peidio ond roedd naws oer yn y tŷ o hyd. Cleciai dannedd Wil yn ddi-stop ac roedd y chwys yn oer fel rhew ar ei gefn.

* * *

"Faint o'r gloch yw hi?"
"Byti bod yn chwarter wedi."
"Siapa hi, 'te!"

135

"Gan bwyll nawr. Ma' digon o amser." Taflodd Terry'r fricsen yn ffyrnig yn erbyn y ffenest gefn a chwalodd y paen yn deilchion. A sgarff am ei law, estynnodd drwy'r dannedd gwydr ac agor y clo ar y drws.

Diffoddodd Wil y fflachlamp. Roedd hi'n tywyllu ac eisoes roedd y lleuad fry uwch eu pennau'n goleuo'r ffordd.

Safodd Terry'n stond yn y cyntedd. Chwibanodd yn hir ac yn isel wrth gael ei gip cyntaf ar y llawr teils, Fictoraidd a'r siandelïer yn crogi o'r nenfwd uchel. "Palas Buckingham, myn yffach i."

"Sh!" meddai Wil gan dindroi'n anghyfforddus. "Wy'n credu 'mod i'n clywed car."

"Wyt ti'n ol reit, bachan?"

"Odw... Wyt ti'n siŵr ymbyti hyn?"

" 'Sdim dewis 'da ti, reit. Cofia beth wedes i a bydd popeth yn iawn... Nawr, cer!"

Y tu allan yn y dreif, roedd drws yn agor ac yn slamio, y clo awtomatig yn canu whit-whiw a phâr o *trainers* yn crensian ar y graean. A'r allwedd eisoes yn ei llaw agorodd Carolyn y drws yn ddidrafferth. Caeodd yn glep y tu ôl iddi. Prysurodd at y ffôn ac estyn ei bys am y botwm negeseuon.

"You have five messages. Please wait..."

Agorodd Wil ddrws y lolfa. Cododd Carolyn ei phen yn sydyn ac edrych o'i chwmpas yn wyliadwrus.

"Six ten. Hia, Car, Bri sy' 'ma. Wy'n mynd i orfod canslo heno. Gwaith. Sori. Wyt ti'n rhydd dros y penw'thnos?"

Roedd pob man yn dawel fel y bedd.

"Helo," hisiodd Wil.

"Six thirty. Helo. Neges i Carolyn oddi wrth Jason. Meddwl falle 'set ti ga'tre erbyn hyn. Wy' isie penderfyniad

wrthot ti ymbyti rhaglen heno. Ffona fi'n ôl."

Sythodd Carolyn ei throwser milwrol llac dros ei phen-ôl. "Fuest ti bron â rhoi trawiad i fi'r ffŵl! Be' ddiawl wyt ti'n 'neud 'ma? A sut dest ti mewn?"

"Six fourty. Blasted machine again! Are you never home? They're working you too hard. Give me a ring, dear."

"Gneud apwyntiad mae pobol gall pan fyddan nhw isio 'ngweld i." Roedd Carolyn yn dechrau ailafael yn ei hunanreolaeth, yn diffodd y peiriant ateb ac yn casglu'r post. Yna, trwy gil ei llygaid, sylwodd eto ar Wil. Yn ei law chwith, roedd gwn yn siglo'n hamddenol.

"Sa i moyn trafod!" hisiodd Wil. "Wy' moyn i ti gwrdd â rhywun, ffrind i fi. Hen, hen ffrind."

Edrychodd Carolyn o'i chwmpas yn ofnus, fel cwningen wedi ei dal mewn rhwyd, a'i llygaid yn symud yn chwim, yn chwilio am ddihangfa.

"Carolyn Redbridge, dyma Terry Lewis."

O'r tu ôl iddi camodd Terry'n hyderus a gafael yn Carolyn wysg ei chanol. Cyn iddi gael cyfle i sgrechian, rhoddodd ei law grychlyd yn fwgwd am ei cheg. Teimlai'n arw fel papur tywod. Daliodd Terry ynddi'n dynn. Roedd teimlo'i phen-ôl siapus yn erbyn ei drowsus yn ei gyffroi. "Ast!" sibrydodd yn ei chlust. Roedd e'n glafoerio a diferai deigryn o boer i lawr ei boch. "Wel? Pwy sy'n mynd i'w saethu hi, Wil? Ti neu fi?"

* * *

"Hy-lo!" gwaeddodd Wil gan gau'r drws y tu ôl iddo a hongian ei got.

"Yn y gegin!" atebodd Sheila'n sionc.

Roedd Wil yn datod lasys ei esgidiau ond cododd ei

ben yn stond. Safodd yn y cyntedd am rai eiliadau yn pendroni. Doedd e ddim yn gallu rhoi ei fys ar y peth. Roedd ei ffroenau'n goglais gyda gwynt cwcan ffein... Cig... Cig oen efallai, gyda garlleg a rhosmari. Llenwodd ei geg â phoer a rhuodd ei stumog yn awchus. Dilynodd y llwybr anweledig i'r gegin. Yno, roedd hi'n ddu bitsh heblaw am oleuni dwy gannwyll. Roedd y bwrdd wedi ei osod i ddau ac yn ogystal â'r canhwyllau, roedd potel o win coch a napcynau yn nannedd y ffyrc.

"Wy' 'di 'neud *chops*!" meddai Sheila'n orfoleddus gan gamu o'r gwyll. Cariai blataid o olwython sawrus fel petai'n dal y corn hirlas. Edrychodd Wil o'r cig at ei wraig a syllu'n gegrwth. Roedd hi'n wên o glust i glust a minlliw coch fel gwaed ar ei gwefus. Gwisgai ffrog laes, sidanaidd debyg i ŵn nos.

"Ti'n edrych yn... yn..."

"Odi'r geiriau'n pallu?"

Gosododd Wil y plât ar y bwrdd a chofleidio Sheila'n dyner. Am unwaith, wnaeth hi ddim cilio. Roedd ei drwyn yn erbyn ei gwallt a gwyntai hwnnw'n ffres fel tyfiant newydd o wair. Teimlai'n feddal fel blew cath. Ni allai ei helpu ei hun ac fe'i cusanodd.

"Phw! Wyt ti'n dishgwl ac yn gwynto fel 'set ti 'di ca'l dy dynnu trw'r clawdd," meddai Sheila a chwerthin eto. "Dere! Cyn i'r bwyd oeri."

Bwytaodd y ddau'n dawel gan wenu ar ei gilydd fel cryts ysgol. O'r braidd y sylwodd yr un o'r ddau ar y blas llosg ar y cig.

Ond roedd rhywbeth yn poeni Wil. Byddai holi a stilio'n torri ar yr hud ac roedd e mor falch o fod yng nghwmni'r hen Sheila unwaith eto. Ond yn haul ei hapusrwydd roedd yna un gleren yn troelli o'i gwmpas yn ddiddiwedd. Roedd wedi ei swatio ganwaith ond roedd hi yno o hyd. Roedd rhywbeth yn… Damia, roedd y gleren allan o'i gyrraedd.

"Wy' 'di gweud wrth Carolyn 'mod i moyn brêc. Wy'n meddwl dachre 'sgrifennu nofel. Fersiwn o'r *Man in the Iron Mask*. O'n i'n meddwl gwneud fersiwn modern a'i leoli yng ngogledd Iwerddon. Y Gwyddelod yn adennill y wlad 'wrth y terfysgwyr. Beth wyt ti'n 'feddwl?"

Ond roedd meddwl Sheila gyda'r pentwr o sosbenni brwnt.

"Ma' hi'n dawel 'ma." Gwagiodd Wil ei wydr yn sych. "Yn dawel fel gaea' yn y wlad, fel mynwent ganol nos, fel y bedd…" Cododd yn sydyn wrth i'r gleren droi'n wenynen wenwynllyd. "Ble ma' Mags?"

"Yn cysgu."

Teimlodd Wil y rhyddhad yn golchi drosto'n don gynnes, pallodd ei goesau ac eisteddodd lawr. Wedi ennyd, cododd eto, gan grafu ei gadair yn erbyn y leino. "O's ots 'da ti? Wy'n mynd i 'weud nos da."

Cododd Sheila ei hysgwyddau. "Gwna fel wyt ti moyn. Fel arfer."

Cyn i Wil gwpla dringo'r staer, roedd Sheila eisoes yn crafu gweddillion y swper i mewn i'r bin. Wrth iddo wthio drws y feithrinfa ar agor, roedd hithau'n cynnau'r radio.

"Mae'r pryder yn cynyddu dros ddiogelwch menyw ifanc ddeg ar hugain oed o Gaerdydd. Does neb wedi gweld Carolyn Redbridge ers iddi adael y gwaith yn TV Teg yng Nghaerdydd."

Safai'r lloer y tu allan i'r ffenest fel drychiolaeth, yn bwrw'i olau drwy'r tywyllwch fel gwaywffyn miniog. Roedd Magdalena'n llonydd yn ei chrud.

" 'Na ti, cariad. Cysga di."

Plygodd i'w chusanu. Roedd ei boch yn oer fel marmor. Yn y gegin, roedd Sheila wedi dechrau sgrechian.

Gan yr un awdur...

STRIPIO
MELERI WYN JAMES
0 86243 322 3
£4.95

Casgliad o storïau tro-yn-y-gynffon
am gymeriadau sydd bron i gyd
yn byw ar ymylon cymdeithas.

*'Dyma gasgliad caboledig o storïau
gan awdur sy'n gwybod ei bethau.
Gall gymeriadu'n llwyddiannus ac
mae'n giamstar ar greu awyrgylch.
Llwyddodd i ddod â bywyd ffres i'r cyfrwng.'*
MEINIR PIERCE JONES